異次元エネルギーショック

2050年への日本生き残り戦略

橘川武郎・平沼 光 編著

日本経済新聞出版

はじめに

「私は、何よりもまず、エネルギーの安全保障について考えています」

これは、フォン・デア・ライエン欧州委員会委員長が二〇二二年三月一日に欧州議会本会議で行ったロシアのウクライナ侵攻に関するスピーチのなかで述べた言葉である。

二二年二月二四日、ロシアはウクライナ東部での「特別な軍事作戦」の実施を発表し、首都キーウなどへのミサイル攻撃や空爆などの攻撃を開始した。ウクライナ危機の始まりである。

周知のとおりロシアは化石燃料の輸出大国である。欧州連合（ＥＵ）をはじめとする各国はウクライナへの侵攻を続けるロシアに対する制裁として、ロシア産石炭・石油の輸入禁止やロシア以外の天然ガス供給先の確保など、ロシア産資源への依存削減策を推進。これに対してロシアは資源ナショナリズムの対応を強めたことで、世界は資源の需給不安定化と価格の高騰というエネルギーショックに見舞われる事態となった。

特に欧州は二一年時点で、天然ガスの全輸入の四五％、原油の二七％、無煙炭の四六％をロシアに依存していたことから[1]、その影響は深刻である。例えば二二年三月の欧州の天然ガスの平均価格は前年同月比で約七倍[2]に跳ね上がるなど、欧州におけるエネルギー安全保障の確保は喫緊の課題となった。冒頭に記したフォン・デア・ライエン欧州委員会委員長の言葉は、こうしたエネルギーショックを背景にして発せられたものなのである。

今まさに、世界はウクライナ危機に端を発したエネルギーショックから抜け出すべく試行錯誤の渦中にあるが、歴史を振り返ると世界はこれまでにも深刻なエネルギーショックに見舞われた経緯がある。その典型的な事例が、二度にわたる石油ショックだ。

一九七三年一〇月六日、スエズ運河東岸とゴラン高原におけるイスラエル軍とエジプト、シリア軍の武力衝突により第四次中東戦争が勃発。この戦争が始まるとアラブ石油輸出国機構（OAPEC）をはじめとするアラブ産油国が、イスラエル寄りの国々に対し、原油の輸出を禁止した。石油が紛争の戦略カードとされたのだ。

こうしたアラブ産油国の石油を戦略カードとする戦略は、石油価格の高騰を生み出し、世界の政治、経済に多大な影響を与える「第一次オイルショック」を引き起こした。

日本では、石油不足により第二次世界大戦に敗戦したという苦い経験もあってか、「石油供給が途絶えれば、物が手に入らなくなる？」という不安から人々をトイレットペーパーや洗剤の買い占めに走らせ、日本全国の店頭から商品が消えてしまったという事態が起きている。

その後、七八年から七九年にかけて起こったイラン革命に端を発し、二度目の石油の供給危機「第二次オイルショック」が起きている。イラン革命によって石油価格は高騰し、サウジアラビアの代表原油であるアラビアン・ライト原油のスポット価格は七八年九月の一二・八ドル／バレルから八〇年一一月には四二・八ドル／バレルへ三・三倍にも急騰し、世界に大きな社会的混乱を招いた。[3]

こうしたエネルギーショックを世界はこれまで潜り抜けてきたわけだが、我々が現在直面しているエネルギーショックはこれまでのエネルギーショックよりもさらに複雑な様相を呈している。

そもそも近年の世界のエネルギー動向は、気候変動問題への対処として二〇一六年に発効したパリ協定を大きな転機として、化石燃料への依存を改め再生可能エネルギー（以下、再エネ）への移行を進めるエネルギー転換を加速することがトレンドであった。

世界がエネルギー転換を加速するなか、新型コロナウイルス感染症（COVID-19）の世界的な流行が発生。二〇二〇年三月一一日には世界保健機関（WHO）が「パンデミック（世界的大流行）」を宣言し、世界の経済活動も停滞する事態となった。世界の経済活動の停滞は石油需要の低下を招いて世界的に石油がダブつくという状況を生み出し、二〇年四月には、ダブついた原油を抱える原油生産者やトレーダーが、お金を払ってでも原油を引き取ってもらう史上初の〝マイナス価格〟を記録するという異常事態が起きている。

ところが、二一年秋には状況は一転。コロナ禍からの経済回復に伴うエネルギー需要の急激な拡大を主な要因にしてエネルギーの需給が逼迫し、同年後半以降、天然ガスをはじめとする化石燃料価格の歴史的な高騰が生じている。さらに、二二年に入ると前述したウクライナ危機が発生。化石燃料の需給不安定化と価格高騰はさらなる混迷を深めることとなった。

欧州をはじめとする世界のエネルギー転換では、天然ガスなどの化石燃料は再エネへのエネルギー転換を達成するまでの「橋渡し」を担うエネルギーとして位置づけられており、化石燃料の需給不安定化はエネルギー転換のロードマップそのものに影響を及ぼしかねない。そのため、世界は再び化石燃料の確保を主軸とした化石燃料回帰に向かうのではないか、という声も聞かれるようになった。

一方、企業活動に目を向けると、企業の脱炭素経営を推進するためには再エネは欠かせないエネルギーとなっている。ＥＳＧ投資の拡大に見られるように、気候変動問題における企業の役割が世界的に求められており、脱炭素経営の推進は企業の浮沈を左右する必須事項となっている。

そのため企業は、気候変動問題への取り組み、影響に関する情報を開示する枠組みであるＴＣＦＤ（気候関連財務情報開示タスクフォース）など、さまざまな脱炭素経営の国際的枠組みに参加し脱炭素経営を推進している状況にある。

特に、ＴＣＦＤでは、自社の事業活動による温室効果ガスの直接排出（スコープ１）と自社の活動に必要なエネルギー調達に伴う間接排出（スコープ２）における脱炭素化のみならず、原材料の調達や運輸輸送、さらには製品の使用、廃棄にわたるサプライチェーン全体（スコープ３）の脱炭素化が求められており、企業の脱炭素経営においては再エネの調達はもはや避けられないものとなってきた。

脱炭素経営に取り組む日本の企業五〇〇社以上が参加する気候変動イニシアティブ（ＪＣＩ）は、ウクライナ危機が深刻化する状況のなか、二〇二二年六月三日に、「ロシアによるウクライナ侵攻が世界のエネルギー供給を不安定化させるなかで、日本が今取り組むべきは、省エネおよびエネルギー効率化を徹底するとともに、世界情勢に左右されない再生可能エネルギーの導入を加速することです。安定供給のためとして化石燃料への依存を続ける議論への回帰があってはなりません」[4]とするメッセージを二〇〇社以上の賛同企業により公表しており、企業の再エネニーズの高さがうかがえる。

このように、今日我々が直面しているエネルギーショックは、気候変動問題への対応、コロナ禍からの復興、地政学的なエネルギー安全保障への対応、そして、企業の脱炭素経営の必要性など、さまざまな要素が複雑に絡み合い、これまでにない異次元のエネルギーショックとなっている。果たして日本は、この異次元エネルギーショックを乗り越えることができるであろうか。

日本が経験した過去二度のオイルショックへの対応では、石油を代替するエネルギーとして、海外に依存しない国産の資源である再エネの重要性が認識され、一九七四年に太陽光をはじめとする石油代替エネルギー技術について重点的に研究開発を進める「サンシャイン計画」が策定された。

八〇年には、過度な石油依存からの脱却を目指す「石油代替エネルギーの開発及び導入の促進に関する法律」（石油代替エネルギー法）が制定されている。

二〇〇三年四月には、電力の小売を行う事業者（一般電気事業者など）に対し、再エネにより発電された電気を一定量以上利用することを義務づける「電気事業者による新エネルギー等の利用に関する特別措置法」（RPS法）が施行されている。

このように、一九七〇年代に起こった二度のオイルショックは化石燃料に依存することのリスクと再エネの重要性を認識させるものであったが、[5] 福島第一原子力発電所事故が起きる前年、二〇一〇年の電源別発電電力量構成比を見ると、原子力二八・六%、火力（石炭、天然ガス、石油等）六一・七%、水力八・五%となっており、その他再エネはわずか一・一%しかない。[6]

すなわち、二度のオイルショックを経て日本が選択したエネルギー政策の実態は、原子力発電の普及を大幅に進めるとともに、海外から調達する化石燃料に依存し続ける道を選んだことになる。

すでに欧州委員会（EC）は、エネルギー転換をさらに加速させることでロシア産化石燃料への依存から脱却し、気候変動問題へも対処する「リパワーEU」計画を二二年五月に公表し、異次元エネルギーショック対応の動きを速めている。米国も同年八月に気候変動対策に軸足を置いたクリーンエネルギーの導入など、一〇年間で約五〇兆円の支援を行う「インフレ削減法」を決定し、動き出している。

異次元エネルギーショックに対応するには何が必要となるか。日本は過去二度のオイルショックへの対応を反省も含めて振り返るとともに、諸外国の動向を注視しつつ、早急に異次元エネルギーショックに対応するエネルギー政策を立案、実行していくことが求められる。

本書は、カーボンニュートラルに向けて世界で加速するエネルギー転換に日本はどのように対応すべきかを研究する、東京財団政策研究所の「加速するエネルギー転換と日本の対応」研究プログラムのメンバーによる考察である。異次元エネルギーショックに対応し、カーボンニュートラルを達成するための日本のエネルギー政策のあり方を、さまざまな視点からメンバー各人の見解を披露している。第1章から第7章にかけて各人の視点から考察し、その後の第8章にて、日本の生き残りのカギを各人のメッセージとして記すとともに、「まとめ」にて、全体の要点を確認する構成となっている。

前述したとおり、昨今のエネルギーをめぐる状況はさまざまな要因が複雑に絡まっていることから、そのステークホルダーも従来のエネルギー関係者だけではなく、企業や自治体、地域市民など多岐にわたることになる。本書がそうした多くのステークホルダーがエネルギーを考えるうえでの一助となれば幸いである。

また、本書を執筆する機会を与えていただき、忍耐強く寄り添ってくださった日経BPの堀口祐介氏には、心から感謝を申し上げたい。

二〇二三年五月

平沼　光

注

1 European Commission "REPowerEU: Joint European Action for more affordable, secure and sustainable energy" March 8 2022

2 The World Bank Group - Commodity Markets
https://www.worldbank.org/en/research/commodity-markets

3 ENEOSホームページ〝石油便覧〟
https://www.eneos.co.jp/binran/document/part01/chapter01/section05.html

4 ＪＣＩ「いまこそ再生可能エネルギーの導入加速を　エネルギー危機の中でも気候変動対策の強化を求める」２０２２年6月3日
https://japanclimate.org/news-topics/jci-message-re-release/

5 Hikaru Hiranuma, “Japan’s Policy on Renewable Energy and Its future Path” “ANNUAL REPORT ON JAPANESE ECONOMY AND SINO-JAPANESE ECONOMIC & TRADE RELATIONS - Japan Energy Situation and Energy Strategy Transition Study Report-” 中国社会科学院、p283-293, ２０１５年5月

6 電気事業連合会「電源別発電電力量構成比」２０１４年5月23日
https://www.fepc.or.jp/about_us/pr/pdf/kaiken_s1_20140523.pdf

目次

第4章 エネルギーとのセクターカップリングでＥＶ普及を —— 103

第7章 エネルギーショックに対峙する投資家の視点――189

【執筆者】（五〇音順）

橘川武郎※　国際大学副学長、国際経営学研究科教授
黒﨑美穂　気候変動・ＥＳＧアナリスト／元 BloombergNEF 日本オフィス代表
杉本康太　横浜国立大学国際社会科学研究院講師
瀬川浩司　東京大学大学院総合文化研究科広域科学専攻長・教授、東京大学教養学部附属教養教育高度化機構環境エネルギー科学特別部門長
高村ゆかり　東京大学未来ビジョン研究センター教授
田辺新一　早稲田大学創造理工学部建築学科教授
平沼光※　東京財団政策研究所　主席研究員

※　東京財団政策研究所「加速するエネルギー転換と日本の対応」研究プログラム共同リーダー

第1章

ウクライナ危機の最大の教訓

エネルギー自給率の向上

橘川武郎

1　ロシアのウクライナ侵略が加速させたエネルギー危機

G7各国で異なる危機の度合い

二〇二二年二月に始まったロシアによるウクライナへの侵略は、すでにその前から進行しつつあった世界規模での「エネルギー危機」に拍車をかけるかたちになってしまった。

そもそも原油価格は、二〇年半ばから上昇傾向をたどっていた。その要因としては、世界中を席巻した新型コロナ禍によって、規模縮小を余儀なくされた経済の回復に必要となった石油需要の拡大が一つ、また、脱炭素社会への流れの高まりによって石油上流部門への投資が低迷したこと、さらには産油国が増産に対して消極的な姿勢を取っていること、などの影響が挙げられる。そうした状況のなかでウクライナ侵略が始まり、エネルギーは文字どおり「急騰」の様相を呈するにいたった、ということである。

ウクライナへの侵攻がエネルギー危機となって世界を襲った要因は、ロシアが石油・天然ガス・石炭の主要な輸出国の一つであることによる。そして、その影響は世界中の多くの国に及んではいるものの、危機の度合いは国ごとに異なっている。**表1－1**は、G7諸国の二〇年に

[表1-1] G7各国の一次エネルギー自給率とロシアへの依存度

国名	一次エネルギー自給率（2020年）	ロシアへの依存度（輸入量におけるロシアの割合）(2020年) ※日本の数値は財務省貿易統計2021年速報値		
		石油	天然ガス	石炭
日本	11%（石油：0%　ガス：3%　石炭0%）	4%（シェア5位）	9%（シェア5位）	11%（シェア3位）
米国	106%（石油：103%　ガス：110%　石炭：115%）	1%	0%	0%
カナダ	179%（石油：276%　ガス：13%　石炭：232%）	0%	0%	0%
英国	75%（石油：101%　ガス：53%　石炭20%）	11%（シェア3位）	5%（シェア4位）	36%（シェア1位）
フランス	55%（石油：1%　ガス：0%　石炭：5%）	0%	27%（シェア2位）	29%（シェア2位）
ドイツ	35%（石油：3%　ガス：5%　石炭：54%）	34%（シェア1位）	43%（シェア1位）	48%（シェア1位）
イタリア	25%（石油：13%　ガス：6%　石炭：0%）	11%（シェア1位）	31%（シェア1位）	56%（シェア1位）

（出所）World Energy Balances 2020（自給率）、BP統計、EIA、Oil Information、Cedigaz統計、Coal Information（依存度）

おける（日本は二一年）一次エネルギー自給率とロシアへの依存度をまとめたものであるが、この表から以下のようなことがわかる。

米国とカナダは、ロシアへの依存度がほぼゼロである。これは、これら両国が、一次エネルギーの自給率が一〇〇％を超える「エネルギー輸出国」であることを示す。

これとは対照的に欧州諸国は、ロシアへの依存度がきわめて高い数値を示している。なかでも、最も数値が高いドイツは、ロシアへの依存度が石油で三四％、天然ガスで四三％、石炭で四八％に達している。イタリアも同様で、石油の一一％、天然ガスの三一％、石炭の五六％をロシアからの輸入に頼っている。フランスは、石油こそロシアからの輸入はないものの、天然ガスの二七％、石炭の二九％をロシアに依存している。英国も、石油・天然ガスの依存度はそれほど高くないが、石炭のロシア依存は三六％に及ぶなど、このようにウクライナ危機が加速させたエネルギー危機は、欧州経済を直撃している。

では日本はどうだろうか。二一年のロシア依存度は、石油で四％、天然ガスで九％、石炭で一一％と、米国・カナダよりは高く欧州諸国よりは低い水準である。しかし、だからといってウクライナ危機の影響が小さいとは言えない面がある。なぜなら、一次エネルギー自給率が一一％と極端に低いため、欧州諸国が今後さらにロシア以外の国・地域から石油・天然ガス・石炭を調達する動きを強めると、エネルギーをめぐる争奪戦が激化し、ほとんどが輸入に頼る日本経済は打撃を受けるのは必至だからである。

危機の実相は「天然ガス危機」

ロシアへの燃料調達依存度が高い欧州諸国ではあるが、それでもＥＵ（欧州連合）は、二〇二二年四月、ロシアからの石炭輸入をその年の八月以降、禁止することを決めた。日本政府もこの動きに協調し、ロシア炭の輸入を段階的に削減していき、最終的にはゼロにする方針を打ち出した。こうした石炭の脱ロシア化の進行の裏には、石炭が世界各地で産出され、ロシア以外の代替輸入先を確保することが比較的容易、という事情がある。

一方、石炭に比べて、石油の脱ロシア化はそれほどスムーズには進展していない。ロシアに代わる原油供給源として最有力であるはずのＯＰＥＣ（石油輸出国機構）諸国が、ウクライナ危機後も原油の増産に消極的な姿勢を崩していないからである。ＯＰＥＣは、西側諸国が求めた原油の追加増産に応じず、それどころか今後も減産を続ける予定にある。この姿勢は、生産量が拡大する米国産原油に対抗して原油価格の決定力を確保するには、ロシアの協力が絶対的に必要、とするＯＰＥＣ諸国の事情を反映したものである。

主要な燃料のなかで、脱ロシア化が最も困難なのが、天然ガスである。パイプラインを使って陸路でロシアから天然ガスの供給を受けてきた欧州諸国は、今後は多くの場合、新しい供給先から海路を通じてＬＮＧ（液化天然ガス）を輸入することになる。つまり、高いコストと一定の時間をかけて、港湾にＬＮＧ受け入れのための輸入基地を建設しなければならないわけである。

幸いにも島国である日本は、もともとＬＮＧを大量に輸入してきたので、すでに多くの輸入基地を有している。しかしそれとは別に、わが国の天然ガスの脱ロシア化にはもう一つの難問が立ちはだかっている。それは、ロシアからのＬＮＧ輸入が止まることになった場合、調達コストが一挙に跳ね上がるという事実である。

二〇年後半からの燃料価格の上昇が原因で、欧州ではこの二年間にガス料金や電気料金が数倍になった国もある。それに比べれば、日本のガス・電気料金の値上げ率ははるかに緩やかと言える。

なぜこのような違いが生じるのか。それは、重要な電源であり熱源である天然ガスの調達に関して、日本は欧州に比べて長期契約の比率が高く、一回の売買ごとに取引条件を決めるスポット契約の比率が低い、ということが根底にある。

スポット契約による取引価格は、一般に市場の需給関係の動きを反映して激しく変動する。これに対して長期契約による取引価格は、長い目では需給動向を反映するものの、変動の度合いがはるかに緩やかになる。現在のように需給が逼迫しているときには、スポット契約価格は急騰し、長期契約価格は徐々に上昇していく。その結果、最近では、長期契約分とスポット契約分の加重平均である日本のＬＮＧの平均輸入価格は、スポット契約価格よりかなり低い水準で推移しているのである。

これを踏まえて考えると、日本がロシアからのＬＮＧ輸入を停止することは、単に調達先の変更にとどまらず、調達契約の変更、つまり長期契約からスポット契約への変更をも意味することになる。その結果、わが国の天然ガス調達コストは、今後大幅に上昇することになる。したがって、それを回避するためにも、日本企業が参加するサハリン２からのＬＮＧ輸入の継続は、重要な意味を持ってくる。

ロシアのウクライナ侵略がもたらしたエネルギー危機は、すぐれて「天然ガス危機」の様相を呈している。このような状況の下で、日本はどのようなエネルギー戦略を取るべきだろうか。

2 日本が取るべきエネルギー戦略

再生可能エネルギー主力化こそ真の解決策

日本の場合、エネルギー危機の根本的な原因がその自給率の低さにあるので、本質的な解決策は国産エネルギーを積極的に活用することに求められる。国産エネルギーの代表格は、風力、太陽光・熱、水力、地熱などの再生可能エネルギーである。

ロシアのウクライナ侵略がもたらしたエネルギー危機を受けて、化石燃料の重要性が再認識されたため脱炭素の流れに歯止めがかかるという見方があるが、根本的にそれは間違いである。エネルギー危機を真の意味で解決するには、国産の再生可能エネルギーが主力となる脱炭素社会を、できるだけ早く実現することより他に方法はないのである。

ただし、再生可能エネルギーを主力化するためには、洋上風力のケースを考えればわかるように、発電設備や関連する送電設備等を新設しなければならず、コストのみならず、ある程度の時間がかかる。したがって、それまでの過渡期には、つまり短・中期的には、既存の設備を活用できる他のエネルギー源も使うことになる。

「原子力回帰」とその限界

ロシアからの天然ガス供給に大きく依存するドイツでは、なんとあの緑の党に属するロベルト・ハーベック経済・気候保護大臣が、すでに政策決定していた二〇二二年の原子力発電停止と二〇三〇年の石炭火力停止を、それぞれ先延ばしにする検討に入る、と表明する事態となった。結局、原発停止時期は四カ月延期されることになり、石炭火力についてはまだ決定されていないが、いまだ停止延期の可能性を残している。

また、ドイツとともにグリーン投資の対象を選定する欧州タクソノミー（環境に良いとみなされる経済活動を列挙し、どのような事業や製品が持続可能かを示すもの）に、原子力を含めることに反対してきたベルギーも、二〇二五年に予定していた原子力発電の全廃を一〇年間延長することを決めた。こうした流れに乗るかのように、日本でも「原子力回帰」とも取れる動きが強まってきている。

二二年一二月、GX（グリーントランスフォーメーション）実行会議において岸田文雄首相は、原子力発電所（原発）の運転期間について、「原則四〇年、延長は一回に限り最長二〇年」という現行の枠組みを維持しつつも、原子力規制委員会による審査や裁判所による仮処分命令などで運転を停止した期間を計算から除外し、その分を追加的に延長できるようにする新方針を打ち出した。その結果、日本の既設の原子炉は、実質的には従来の上限だった六〇年を超えて運転期間を延長することができるようになった。

これにつながる動きの発端となったのは、二二年八月のGX実行会議で岸田首相と西村康稔経済産業相が行った、原子力に関する発言である。そこで岸田政権が、原子力政策遅滞の解消に向けて年末までに政治決断が求められる項目として挙げたのは、

①次世代革新炉の開発・建設

②運転期間の延長を含む既設原発の最大限活用

の、二点であった。

このうち特に①について、一部のメディアは、「原子力政策を転換したもの」と大々的に報道した。政府が、「原発のリプレース・新増設はしない」というそれまでの方針を転換し、次世代革新炉の建設に踏み込んだものととらえての報道だった。

しかし、事実はどうであろうか。

結論から言えば、現時点で、「政策転換」と判断するのは時期尚早だと考える。そう考える根拠としては、

第一に、誰（どの事業者）が、どこ（どの立地）で、何（どの炉型の革新炉）を建設するのかについて、まったく言及がない。

第二に、肝心の電気事業者の反応が冷やかで、国内での次世代革新炉の建設について、具体的な動きを示していない。

という二点を挙げることができる。

原子力政策において「次世代革新炉の建設」を行うことには意味がある。原発の危険性を縮小することになるからである。依存度の高低にかかわらず原子力を電源として使うのであれば、危険性を最小化することは絶対的な前提条件であり、そのためには古い炉ではなく新しい炉を

使うほうがよいことは、論をまたない。

ただし、ここでは、二つの点に留意すべきである。

一つは、今日の日本においては、原発の新規立地はきわめて困難なので、現実には次世代革新炉の建設も既設原発と同じ敷地内で行われる点。

もう一つは、次世代炉を建設することが、必ずしも「原発を増やす」ことを意味しない点である。

次世代革新炉建設の本質的な価値は危険性の縮小にあるので、建設を進めるに際しては、並行してより危険性が大きい古い原子炉を積極的に廃炉にすべきである。つまり、既設原発と同じ敷地内で行われる次世代炉の建設は、古い炉を廃止して新しい炉に建て替える「リプレース」として行われるべきであり、「新増設」という表現より「リプレース」という言葉を使うべき、ということになる。

日本は、第5次エネルギー基本計画を閣議決定した一八年を転機に、「再生エネルギー主力電源化」の方向に舵を切った。「再生可能エネルギー主力電源化」は、「原子力副次電源化」と同義と言うことができる。これらの事情を踏まえるならば、わが国の原子力政策の主眼は、古い炉を新しい炉に建て替える「リプレース」を進めながら、原発依存度を徐々に低下させるこ

[表1-2] 日本の既設商業用原子炉の現状と運転開始からの経過年数

現状／運転開始後の経過年数	30年以内	30年超40年以内	40年超	基数
再稼働	**大飯4、伊方3、玄海3/4**	**大飯3、高浜3/4、川内1/2**	**美浜3**	10
許可済み未稼働	女川2、柏崎刈羽6/7	島根2	東海第二、**高浜1/2**	7
未許可未稼働	**泊3**、東通（東北電力）、浜岡4、志賀2	**泊1/2**、浜岡3、**敦賀2**		8
未申請未稼働	女川3、柏崎刈羽3/4、浜岡5、志賀1	柏崎刈羽1/2/5、		8
基数	16	13	4	33

(出所) 筆者作成
(注) 1. 発電所名の右の数値は号機名を意味する
2.「許可」は、原子力規制委員会による原子炉設置変更許可をさす
3. 太字は加圧水型軽水炉。他は、沸騰水型軽水炉
4. 建設中の3基(大間、東通[東京電力]、島根3)は、運転開始時点が不明のため、除外してある

とに置かれるべきなのである。

現時点で、次世代革新炉の建設について、肝心の「誰が、どこで、何を」に関する具体的な話は進んでいない。しかし、対照的に、もう一方の既設原発の運転期間延長については、具体的な方針が提示されたのである。

これは、ゆゆしき事態と言える。**表1−2**からわかるように、日本には三三基の原子炉が現存するが、その過半数の一七基は、運転開始から三〇年以上経過した「延長待機組」である。これらを運転延長することができれば、電気事業者が、わざわざ一兆円規模の高いコストをかけて次世代革新炉を建設する必要はないと考えるのは当然だろう。最近になっても、次世代革新炉

の建設に電気事業者が冷ややかな姿勢を取り続けていることは、その証左とも言える。

今、わが国では、原発の危険性縮小に逆行する筋の悪い既設原発運転延長論が幅を利かし、本来あるべき次世代革新炉の建設が後景に退くという、最悪のシナリオが進行しつつある。

さらに、ここで看過してはならない点は、原子力が短・中期的には重要な選択肢の一つとなるものの、長期的にはその存続の是非について、改めて真剣に議論すべき時が来たということである。

ロシアはウクライナの原子力施設に関して、その周辺の送電設備を含めて軍事的な攻撃対象とした。これまで日本では地震・津波・火山活動が、欧米ではテロによる大型民間航空機の突入が、それぞれ原子力発電の主要なリスクとみなされてきたのが実情である。これに対して今回、軍事標的になるというまったく新しいタイプのリスクが顕在化したわけであり、この新しい知見にもとづき、原子力発電の持続可能性それ自体について、根本的に問い直す必要性が生じたのである。

このように考えると、日本にとって原子力が重要な選択肢の一つとなるのは、あくまで短・中期の過渡期に限定されるものであり、エネルギー危機の根本的、長期的な解決策は、あくまで再生可能エネルギーの拡大、主力化にあることが理解できる。

石炭火力依存と「石炭からの脱却」時期の明確化

石炭についても、原子力と同様のことが言える。

ロシアのウクライナ侵略が加速させた「天然ガス危機」は、短・中期的には代替財としての石炭の価値を高めている。しかも日本では、二〇二二年から二〇二四年にかけて、比較的二酸化炭素（CO_2）排出量が少ない高効率の超々臨界圧（USC：Ultra Super Critical）石炭火力の新規稼働が継続的に予定されており、これら新規稼働の発電所がわが国のエネルギーの安定供給とコスト抑制に貢献する、と見られている。

しかし、たとえ高効率のUSCであるとしても、大量のCO_2を排出することに変わりはない。したがって、石炭火力がある程度「復活」し、石炭への依存期間が延びる局面を迎えたという事実は、同時に、最終的に石炭火力への依存を終了するまでのロードマップを明示する必要性がいっそう高まったことも意味するのである。

なぜなら、やむをえない事情から緊急の対処として「問題のあるA」という手段を使うことになった場合には、必ずAから脱却する道筋をもまた併せて提示しなければならないからである。

日本が考える長期的な石炭火力からの脱却策の一つは、アンモニア火力への転換である。

「天然ガス危機」が続く状況下では、短・中期的に石炭火力への依存を高める選択を取らざるをえない点に異論はない。しかし同時に、どの段階でどの程度石炭にアンモニアを混焼させていき、最終的には何年後までにアンモニア専焼火力に切り替えるか、という長期的展望としてのロードマップも示さなければならない。言い換えれば、それが石炭火力を廃止する時期を示すことになるのである。

この石炭火力廃止時期の明示の必要性に関しては、ドイツとの比較が答えとなる。

日本とドイツは、二一年の電源構成に占める石炭火力の比率はまったく同じで、両国とも二九％であった。ところが依存度が同じにもかかわらず、石炭火力問題をめぐる両国への国際的評価は、対照的とも言えるほどの違いが生じている。

ドイツは、さまざまな国際会議で、石炭火力終了に向かって努力する「正義の味方」のように振る舞い、世界からもそのように評価されている一方、日本は、世界から石炭火力にしがみつく「悪者」であるかのような扱いを受け、二二年も、不名誉な「化石賞」を与えられる羽目になっている。

同じ比率で石炭火力を使っているのにもかかわらず、日本とドイツで、なぜこれほどまでに評価の違いが生じるのか。その理由はただ一つ。ドイツが石炭火力を廃止する時期を明示しているのに対して、日本がそれを明示していないからである。

そうであるからこそ、当面する電力危機を石炭火力で乗り切ろうとしている現在の日本は、石炭火力をいつまでに終了させるのかを早急に明示しなければならないと言える。

天然ガス田開発とCCS

天然ガスに関しては、原子力や石炭よりさらに厄介な事情がある。ロシアからの天然ガス輸入が止まった場合には、調達契約が長期契約からスポット契約へ変更され、日本の天然ガスの調達コストが一挙に跳ね上がる恐れがあるからだ。

「天然ガス危機」から脱却するために日本企業は、短・中期的にはロシア以外の地域でガス田開発を進める必要に迫られている。しかしその一方で、脱炭素へ向けた流れが強まる現状のなか、一般論としては、化石燃料の上流分野に追加投資を行うことは躊躇される状況にもある。

では、どうすればよいのだろうか。

ここで想起すべきは、化石燃料上流分野の開発投資であっても、方法によってはカーボンニュートラルに資するケースが存在すること。その方法とは、CCS（CO_2回収・貯留）につながるタイプの開発投資である。

脱炭素社会の実現に必要不可欠とされるのが、カーボンフリー水素・アンモニア・合成メタン（e-メタン）だが、再生可能エネルギーから得られた電力を使い、水を電気分解して生成した水素を用いるこれら「グリーン水素・アンモニア・合成メタン」だけでは、量的に不足であることは言をまたない。その不足を解決するためには、生成時にＣＯ$_2$を排出するものの、それを回収して貯留するＣＣＳを付した「ブルー水素・アンモニア・合成メタン」も、併用せざるをえない。そのＣＣＳの貯留場所に最も適する場所はと言えば、開発済みの油田・ガス田なのである。

つまり、将来におけるＣＣＳへの展開という長期的な視野をもとに対応すれば、化石燃料の上流分野への開発投資を行うことが、脱炭素社会の実現に資することにもつながるのである。

以上のように、エネルギー危機に対して日本は、短・中期における戦略と長期を見据えた戦略との二つを使い分ける、いわば「二枚腰」の姿勢で臨まなければならない。柔軟で視野の広い、大局的見地に立った真の対応能力の発揮が、強く求められているのである。

3 カーボンニュートラルへ――日本の世界的貢献

避けられないコストの上昇

日本のエネルギー戦略について、ここまでエネルギー危機との関連で検討を加えてきたが、ここからはカーボンニュートラルとの関連で論点を掘り下げることにする。

カーボンニュートラルとは、以下のような数式で表すことができる。

温室効果ガス排出量−(回収量+吸収量)=〇

つまり、地球温暖化の原因とされるCO_2を中心とする温室効果ガスの排出量から回収量と吸収量とを差し引いた値を、全体としてゼロにするという意味である。

第6次エネルギー基本計画は二〇二一年一〇月に閣議決定されたが、その策定に向かい審議を重ねていた同年五月の総合資源エネルギー調査会基本政策分科会第四三回会合において、衝撃的な事実が明らかにされた。RITE(地球環境産業技術研究機構)が、その会合に向けて準備した「2050年カーボンニュートラルのシナリオ分析(中間報告)」では、想定する七つのシナリオのいずれを取ったとしても、二〇五〇年におけるわが国の電力コスト(限界費用)は大幅に上昇すると発表したのである。

RITEによる二〇五〇年におけるわが国の電力コスト(限界費用)のシナリオ別試算は、**表1−3**のとおりである。

各シナリオの右端の数値を見れば明白だが、カーボンニュートラルが行われている下での二〇五〇年の電力コスト(限界費用)は、いずれの場合も、現行水準(一三円/kWh、二〇二〇年

[表1-3] RITEによる2050年におけるわが国の電力コスト（限界費用）のシナリオ別試算結果

シナリオ	電源構成（%）				総発電電力量（兆kWh）	電力コスト（円/kWh、限界費用）
	再生エネ	原子力	水素・アンモニア火力	CCUS火力		
①政府の参考値	54	10	13	23	1.35	24.9
②再生エネ100%	100	0	0	0	1.05	53.4
③再生エネ活用	63	10	2	25	1.50	22.4
④原子力活用	53	20	4	23	1.35	24.1
⑤水素・アンモニア火力活用	47	10	23	20	1.35	23.5
⑥CCUS火力活用	44	10	10	35	1.35	22.7
⑦カーシェアリング普及	51	10	15	24	1.35	24.6

（出所）RITE（地球環境産業技術研究機構）「2050年カーボンニュートラルのシナリオ分析（中間報告）」（2021年5月13日）にもとづき、筆者作成

時点）より大幅に上昇するとされている。

表の②にある「再エネ一〇〇%」のケースでは上昇幅が特に大きくなると予測されているが、これはあくまで現時点での、しかも限界費用を示したものなので、今後、再エネ関連のイノベーションが進めば大きく低下する可能性を十分に秘めており、この段階で②のシナリオを排除する理由とはならない。

いずれにしても、カーボンニュートラルを達成しようとすれば、何か策を打たないか

ぎり、電力コストの相当程度の上昇は避けられそうにないのである。

既存インフラの活用と日本の貢献

電力コストの上昇を抑えるためには、さまざまなイノベーションを実現しなければならないのだが、将来のイノベーションについて、現時点でその内容を予想することは不可能である。

これに対して、確実に成果を上げるコスト抑制策が一つある。それは、既存インフラの徹底的な活用である。

カーボンニュートラルを目指す日本のアプローチには、欧米諸国ではあまり重視されていない二つの施策が含まれている。一つはアンモニアを燃料として使用するカーボンフリー火力発電であり、もう一つはCO_2と水素から都市ガスの主成分のメタンを合成するメタネーションである。

二〇二一年六月に改定された「グリーン成長戦略」では、重点一四分野のうち二番目にアンモニア利用を、三番目にメタネーションをそれぞれ取り上げている（内閣官房・経済産業省・内閣府・金融庁・総務省・外務省・文部科学省・農林水産省・国土交通省・環境省「2050年カーボンニュートラルに伴うグリーン成長戦略」二〇二一年六月一八日）。

別の角度から考えてみれば、アンモニア利用は既存の石炭火力設備を徹底的に活用することであり、メタネーションは既存のガス導管を徹底的に活用することを意味する。この既存インフラの徹底活用は、たしかにコスト上昇を抑制するものであるが、単にそれだけにはとどまらない。

既存インフラを活用する日本のアプローチは、今後進展していくOECD（経済協力開発機構）非加盟諸国のカーボンニュートラル化の過程でも、大いに効果を発揮することだろう。CO_2排出量の多さから見ても、地球全体のカーボンニュートラル化の成否を決するのは、OECD非加盟諸国の動向であることは間違いない。

これらの国々では、石炭火力への依存度も高く、ガス利用も急速に拡大している。これらの国に対して、例えば二一年のCOP26（国連気候変動枠組み条約第二六回締約国会議）の主催国英国のように、頭ごなしに「石炭火力は使うな」「ガスの使用を抑制せよ」と押しつけてしまうと、OECD非加盟諸国は立つ瀬をなくし、反発も強くなりかねない。

しかし日本のアプローチを導入すれば、石炭火力やガスインフラを使用しながら、燃料を石炭からアンモニアへ、あるいは天然ガスから合成メタンへと徐々に転換していくことで、OECD非加盟諸国もカーボンニュートラルを達成できるようになる。そうなれば、これまで気候変動対策で出遅れて世界中から不評を買っていた日本が、二〇五〇年までにはカーボンニュートラル化の国際的リーダーに「変身」している可能性も見えてくるのである。

気候変動問題への対応で世界に後れを取っていた日本は、菅義偉前首相が「二〇五〇年カーボンニュートラル」を宣言し、「二〇三〇年度温室効果ガス四六％削減（一三年度比）」を公約することによって、目標の上では一応世界に追いついたかたちとなっている。

ただし、施策面では、「再生可能エネルギー主力電源化」を掲げながら、二〇三〇年度の電源構成見通しにおける再生可能エネルギーの比率を二二～二四％という低位に据え置いた一八年策定の第5次エネルギー基本計画等の過去の悪政がたたり、二〇三〇年時点においてはまだ世界に追いつくことはできないと考えられる。

しかし、われわれは悲観ばかりしているわけにはいかない。二〇三〇年には間に合わないとしても、その先の二〇五〇年に向かって惜しみない努力を続けなければならないのである。石炭火力のアンモニア火力への転換、メタネーションによる合成メタンの製造、そして火力発電所等から大気中に放出される前にCO_2を回収して再利用、または貯蔵するCCUSや水素の積極的活用などには、大きな期待が寄せられている。

これらの施策を総動員すれば、「二〇五〇年カーボンニュートラル」を達成することは十分に可能である。われわれ日本人は今こそ、地球市民としての責務を果たさなければならない。

参照文献

閣議決定「エネルギー基本計画」二〇一八年七月（第5次エネルギー基本計画）
閣議決定「エネルギー基本計画」二〇二一年一〇月（第6次エネルギー基本計画）
資源エネルギー庁資源・燃料部「ウクライナ侵略等を踏まえた資源・燃料政策の今後の方向性」二〇二二年四月
地球環境産業技術研究機構（RITE）「2050年カーボンニュートラルのシナリオ分析（中間報告）」二〇二一年五月一三日
内閣官房・経済産業省・内閣府・金融庁・総務省・外務省・文部科学省・農林水産省・国土交通省・環境省「2050年カーボンニュートラルに伴うグリーン成長戦略」二〇二一年六月一八日

第2章

再生可能エネルギー政策の三つの注目点

高村ゆかり

1 二〇五〇年カーボンニュートラルを目指すエネルギー政策

第6次エネルギー基本計画のアプローチの「変化」

二〇二一年一〇月、第6次エネルギー基本計画が[1]、国の地球温暖化対策計画とともに閣議決定された。それに先立つ、二〇年一〇月、国は、気候変動（温暖化）対策の長期目標として、「二〇五〇年に、温室効果ガスの排出を全体としてゼロにする、すなわちカーボンニュートラル、脱炭素社会の実現を目指す」（「2050年カーボンニュートラル」）を宣言。二一年四月、この宣言に整合する新たな二〇三〇年時点での温室効果ガス（GHG）排出削減目標として、一三年度比四六%削減、五〇%削減の高みを目指す目標を表明した。

第6次エネルギー基本計画の特徴は、この「二〇五〇年カーボンニュートラル」という高次の政策目標によって枠づけられていることである。目指すカーボンニュートラルなエネルギーシステムのビジョン（絵姿）をまず描き、そこに至る二〇三〇年時点での排出削減目標実現に向けたエネルギー政策の道筋を示すものとなっている。

これまでのエネルギー基本計画は、安全性（Safety）を大前提に、エネルギー安全保障

(Energy security)、経済効率性（Economic efficiency)、環境適合性（Environment）という「3E＋S」の観点からよりよいエネルギーシステムの構築を目指してきたが、カーボンニュートラルといった将来の絵姿からバックキャスティングするアプローチを取ったのは、これが初めてだ。

もちろん二〇三〇年の次元では、技術や制度も現在の延長線上の展開を意識せざるをえないが、「手堅い積み上げ」だけでなく、その先の、目指すべきエネルギーシステムのビジョンに向けてさまざまな選択肢を考慮し、そちらに歩みよっていく、そのための追加的な政策・施策を導入するというアプローチが示されている。こうした方向性は、第6次エネルギー基本計画の検討が本格的に始まる直前、二〇年一〇月、当時の梶山弘志経済産業大臣の「脱炭素社会を目指していく中でのベストミックス」といった発言にも表れている。[2]

二〇五〇年カーボンニュートラルのイメージ

二〇五〇年カーボンニュートラルを目指すエネルギーシステムは、最大限のエネルギー効率改善、つまりエネルギー需要を最大限抑制・最少化することを大前提に、化石燃料を使用しない再生可能エネルギー（再エネ）などによる電力の非化石化を実現し、非電力分野では、電化を進めつつ水素など新たなエネルギー源を開発・導入することにより実現される、というイメ

[図2-1] 2050年カーボンニュートラルのイメージ

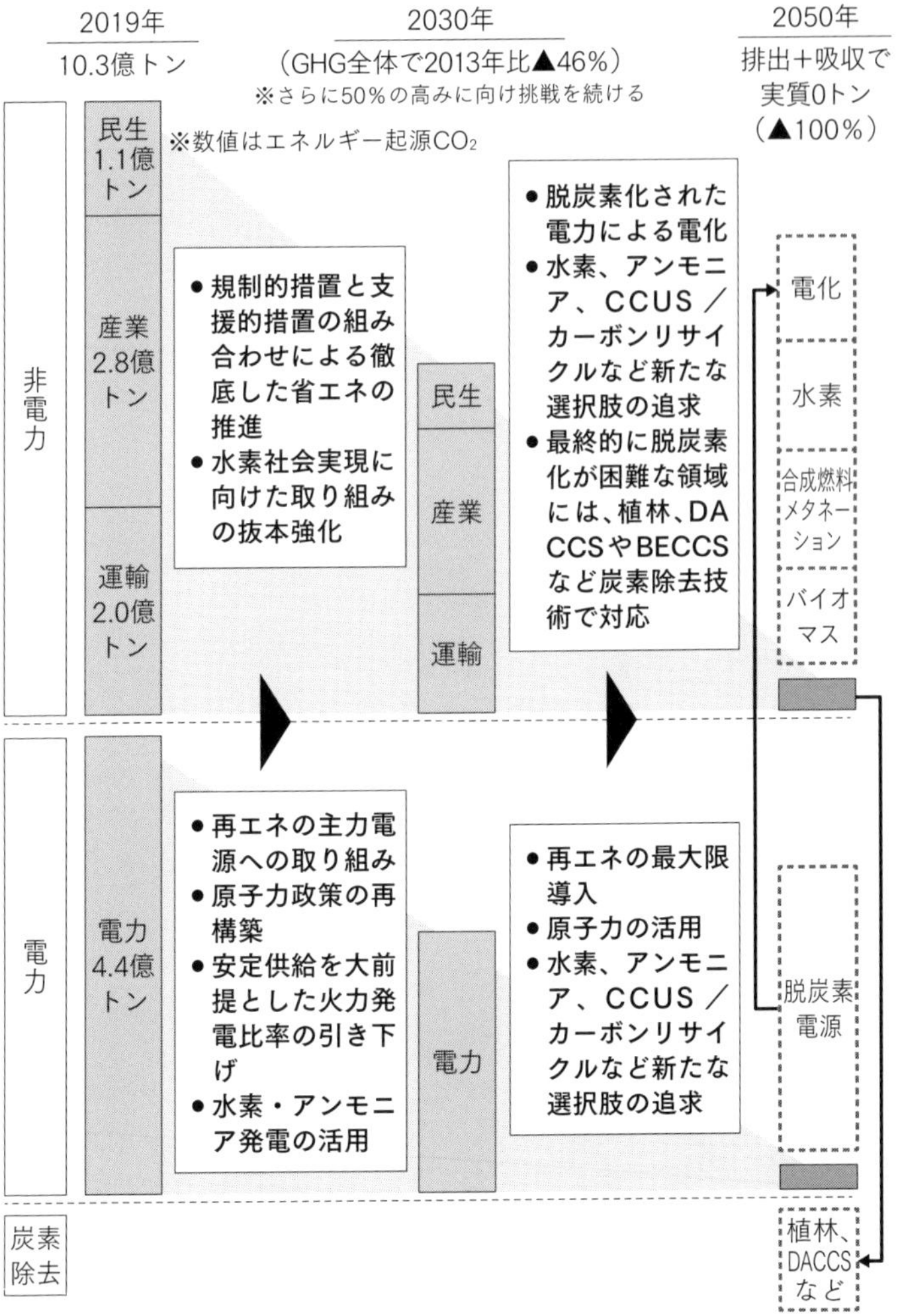

(出所)資源エネルギー庁、2021年

ージである（**図2－1**）。

二〇五〇年の電源構成における再エネの割合は、検討のための参考値として五〇～六〇％と想定された。[3] いずれにしても、二〇三〇年そして二〇五〇年に向けては再エネが主力電源となり、エネルギーシステムの主役を担うという、電力システムの絵姿が想定されている。

二〇三〇年のエネルギーシステムの姿と再生可能エネルギー

二〇五〇年カーボンニュートラルの目標と整合する、二〇三〇年時点での排出削減目標達成を可能にするエネルギーシステムの絵姿とはどのようなものであろうか。それは、電力も電力以外のエネルギーも、野心的な省エネ対策を取ることでこれまで以上にエネルギー需要が低減・抑制され、それに加えて、再エネが格段に拡大する絵姿である。

一次エネルギー供給ベースでは、再エネは二二～二三％を占め、原子力と合わせて、自給率は現在の一〇％程度から三〇％程度に引き上がることになる。二〇三〇年の電源構成（**表2－1**）では、再エネが三六～三八％を占める。これは、電源構成の約二〇％という現在の水準をほぼ二倍にするものである。原子力と合わせると非化石電源からの発電量が、総発電量の五九％となる計算である。

こうした電源構成の議論の参考材料の一つが、エネルギー基本計画と並行して検討された、

[表2-1] 再エネの導入推移と2030年目標

	2011年度	2020年度		2030年ミックス	
再エネの電源構成比 発電電力量：億kWh 設備容量：GW	10.4% (1,131億kWh)	19.8% (1,983億kWh)		36〜38% (3,360億〜3,530億kWh)	
太陽光	0.4%	7.9%		14〜16%程度	
		61.6GW	791億kWh	104〜118GW	1,290〜1,460億kWh
風力	0.4%	0.9%		5%程度	
		4.5GW	90億kWh	23.6GW	510億kWh
水力	7.8%	7.8%		11%程度	
		50GW	784億kWh	50.7GW	980億kWh
地熱	0.2%	0.3%		1%程度	
		0.6GW	30億kWh	1.5GW	110億kWh
バイオマス	1.5%	2.9%		5%程度	
		5.0GW	288億kWh	8.0GW	470億kWh

(出所)資源エネルギー庁、2022年

発電コスト検証ワーキンググループによる二〇三〇年の電源ごとの発電コストの検討である。[4] そこでは、新たな発電設備を建設・運転した際のkWh当たりのコストを試算している。

日本の再エネの発電コストは諸外国と比べて相対的に高いが、それでも太陽光の発電コストは一〇年から一九年の一〇年間で六三%、一三年から二〇年の八年間でも六二%低減した。[5] 二〇三〇年の太陽光（事業用）の発電コストは、買取制度の下での買取費用など政策経費を含めても八・七〜一一・八円／kWhとなり、石炭火力、原子力などを含めた他のいずれの電源よりも低くなる見通しである。ただし、自然条件によって出力が変動する太陽光や風力などの自然変動電源を送電線（系統）に統合するためのコストは含まれていない。[6]

第6次エネルギー基本計画には、前述の再エネの導入目標（二〇三〇年に三六～三八％）に加えて、特に重要な施策については二〇三〇年、二〇三五年に向けた具体的な目標が盛りこまれている。二〇三〇年の再エネ目標の中軸は、洋上風力と太陽光の導入である。洋上風力については、二〇三〇年までに一〇〇〇万kW、二〇四〇年までに浮体式も含め三〇〇〇万～四五〇〇万kWの案件を形成することを目指す。また、二〇三〇年には、新築される住宅・建築物についてはZEH（ネット・ゼロ・エネルギー・ハウス）・ZEB（ネット・ゼロ・エネルギー・ビル）基準の省エネ性能の確保とともに、新築戸建住宅の六割に太陽光発電設備が導入されることを目指す。さらに、二〇三〇年までに少なくとも一〇〇の脱炭素先行地域の実現を目指す。

再エネのなかで最も導入が進み、二〇三〇年に向けてさらに導入の倍増が想定されている太陽光発電の近年の増加推移を見ると、再エネの買取制度が導入された一二～一四年度は年一〇GWを超える（特に一三年度は二四GW）水準で認定がなされたが、一五～一九年度は毎年度三～四GWほどに減少し、二〇年度は一GWを下回る約九〇〇kWの認定量にとどまった。二一年度は太陽光発電の入札制度の見直しなどにより、二二年三月時点で約一・三GWの認定量が見込まれている。

二〇三〇年の電源構成に照らせば、二〇年度比で、太陽光の発電量は約一・六倍に、風力の発電量は約六倍に増やすことが必要となる。設備容量では、二〇三〇年に向けて毎年五～六GWの太陽光の導入、毎年二GWの風力の導入に相当する。したがって、いかに再エネの導入を飛躍的に拡大していくかが課題である。

2 ゲームチェンジャー「洋上風力発電」の導入政策

再エネ海域利用法による洋上風力導入

二〇二〇年一二月、洋上風力の産業競争力強化に向けた官民協議会において、「洋上風力ビジョン（第1次）」が示され、前述のとおり、二〇三〇年までに一〇〇〇万kW、二〇四〇年までに三〇〇〇万～四五〇〇万kWの案件形成を行うことを目標として掲げた。[7] この目標は、第6次エネルギー基本計画にも盛りこまれている。

一九年四月に施行された「海洋再生可能エネルギー発電設備の整備に係る海域の利用の促進に関する法律（再エネ海域利用法）」[8] にもとづき、促進区域指定基準への適合状況[9]や都道府県からの情報提供を踏まえて有望な区域を整理して公表し、その後、協議会を設置し、風況や地質調査を行ったうえで、促進区域を指定する。

二〇二三年四月一日現在、八つの促進区域が指定されている。そのうち①長崎県五島市沖（浮体）、②秋田県能代市・三種町・男鹿市沖、③秋田県由利本荘市沖、④千葉県銚子市沖については、公募の結果、①は二一年六月に、②〜④は同年一二月に事業者が選定された。この八つの促進区域に加えて、他に五つの有望区域が整理され、準備が進んでいる区域も一〇程度ある。

公募結果と公募プロセスの見直し

②〜④の三つの促進区域の事業者には、三菱商事を中心に構成された事業者グループ（コンソーシアム）が選定された。買取制度の下での供給上限価格（買取の上限価格）は二九円／kWhであったが、②秋田県能代市・三種町・男鹿市沖、③秋田県由利本荘市沖、④千葉県銚子市沖の落札価格は、それぞれ一三・二六円／kWh、一一・九九円／kWh、一六・四九円／kWhと、供給上限価格を大きく下回った。

この落札価格は、前述の発電コスト検証ワーキンググループで試算した二〇三〇年の洋上風力発電コスト＝二五・九円／kWh（政策経費を除くと一八・二円／kWh）と比べても、大きく下回る水準となっており、想定した以上のコスト低減のポテンシャルがあることもわかった。

他方、三つの促進区域を、三菱商事を中心とした事業者グループがすべて落札したことを契機に、公募プロセスの見直しが進められることとなった。具体的な見直し点は、⑴評価項目・配点の見直し、⑵複数区域同時公募時の落札制限、⑶供給価格点評価、などである。

⑴の評価項目・配点の見直しでは、二〇三〇年時点のエネルギー政策と気候変動対策の目標の実現を後押しするよう、早期の運転開始にインセンティブを付けるために、運転開始時期を切り出して評価し、一二〇点の評点のうち二〇点を充てることになった。また、事業計画の実現性については、事業の実施体制や資金面など計画の基盤面と、事業計画の実行面とに評価を分けて、より詳細な項目ごとに配点を設定する。さらに電力の安定供給に向けてサプライチェーンの強靭性などを評価し、配点を一〇点から二〇点に拡大する。

⑵の複数区域同時公募時の落札制限については、応札段階では制限を設けず、落札について一者当たり一ＧＷという上限が設定される。⑶の供給価格点評価については、市場価格との差分がプレミアムとして買取制度の下で支払われるＦＩＰ制度の適用を想定して、事業者が提案する買取価格が市場価格を常に下回れば買取制度の支払いは生じないため、事業者が提案する価格を評価するにあたって、満点の評価点が与えられる基準が設定されることになる。

さらなる洋上風力導入を加速する政策

今回の公募プロセスの見直しについては、事業者などから求められていた透明性向上の観点から、評価項目の考え方、基準の明記、選定に関する情報の公開、そして評価に当たる第三者委員会委員の公表を行うことも決まった。こうした透明性の向上は、案件形成に当たる事業者の予見可能性を高め、公募プロセスへの信頼性を高めることで、公募に参加する事業者を拡大し、その結果、競争性を確保してコスト効率の高い事業形成を促すことになる。

他方、この見直しについては、すでに公募が予定されていた秋田県八峰・能代沖の公募の予定を変更して行われたものだった。

本来、見直しが必要だったのか、見直しは妥当だったのか、という点は問う必要があるだろう。早期運転開始はもちろん重要だが、数千億円といった莫大な投資を先行的に必要とする洋上風力事業において、事業者が意図的に運転開始を遅らせる理由はまずない。複数区域同時公募時の落札制限についても、こうした莫大な先行投資を必要とする洋上風力事業を同じ事業者が独占し続けるといった独占・寡占のリスクは相対的に低いだろう。

何よりも今回の制度変更が、国外を含む参加に意欲を持つ事業者に日本の「制度変更リスク」ととらえられる恐れもある。今回の見直しの影響は、こうした観点からも注視する必要がある。

二〇三〇年、さらにその先に向けて洋上風力の導入をさらに拡大・加速するためには、発電コストの低減が重要な課題となる。予見可能性を高めることで、参加事業者を増やし、競争による効率的な案件形成を促すことができ、事業リスクもコストも低減できる。そうした観点からは、国がより具体的な中長期の導入ロードマップを策定する必要がある。どういう時期にどのような規模の案件が形成されるかの見通しを示すことで、必要な港湾整備や系統整備の計画を立てることができ、事業者もサプライチェーンの構築・内製化の計画を立てることができる。

加えて、港湾整備や系統制約の解消など、事業者だけでは如何ともしがたいインフラや制度の整備については、国が責任を持って取り組まなければならない。国がこうしたリスクを解消することで、事業者は、コスト効率的な洋上風力事業の形成に集中できる。

洋上風力導入で先行する欧州では、案件形成の初期段階から政府が主導的に関与し、必要な調査や系統容量の確保などを国の責任で実施するセントラル方式が採用されている。それに対して、日本の現状は、複数の事業者が同一海域で重複して風況や地盤の調査を行っており、効率が悪いばかりでなく、地元の漁業者に操業調整などの負担もかけるために地元での反発を招き、結果として案件形成が阻害されるという恐れもある。

二〇二二年、JOGMEC（独立行政法人 エネルギー・金属鉱物資源機構）法が改正され、その業務に洋上風力に関する風況・地質調査が追加された。「日本版セントラル方式」として、二三年度からＪＯＧＭＥＣが洋上風力発電設備の基本設計に必要な風況や地質構造の調査を実施し、二〇二五年度からは公募に参加する事業者に調査結果を提供していく方針である。

また、特定の地域にポテンシャルが偏在する洋上風力の拡大に必要な系統整備、とりわけ地域と地域を結ぶ「地域間連系線」の増強を加速するために、電力広域的運営推進機関が二〇五〇年ころを見越した広域的な系統整備計画（マスタープラン）を作成した。[10] このように、国が責任を持って案件形成の環境整備を進めることが重要である。

さらに、再エネ海域利用法では、海域の占有期間は三〇年と定められているが、事業の準備期間と買取期間の二〇年をもって占有期間が終了することになるだろう長さの期間だ。しかし、洋上風力の稼働は二〇年の買取期間終了後も十分に可能で、適切な維持管理を行うことで、三〇年の占有期間を超えて発電することができる。発電事業を行える期間が長くなれば、発電コストの低減にもつながる。同じ趣旨で、試運転期間の発電量の売電を認めることによって、全体としての発電コスト低減にもつながる。こうした現行法の改正を含む制度的な手当ても検討に値する。

3 政策のセクターカップリング

「2050年カーボンニュートラル」目標および二〇三〇年の排出削減目標を踏まえて、二一年、二二年の通常国会では、脱炭素に関わる法案の上程、成立が続いた。二一年には、地球温暖化対策推進法（温対法）が改正され、二二年も温対法、省エネ法、航空法、建築物省エネ法などが改正された。いずれの法律にも、気候変動対策、脱炭素化推進のために、再エネ拡大に向けたさまざまな施策が織り込まれている。

地球温暖化対策推進法の改正

二〇二一年の温対法改正は、①パリ協定の気温上昇抑制目標に言及しつつ、地球温暖化対策が「二〇五〇年までの脱炭素社会…の実現を旨として」国民ならびに国、地方公共団体、事業者および民間の団体等の密接な連携の下に行われなければならない、とする基本理念を新設した。

そのうえで、②再エネ導入などの実施目標を地方公共団体実行計画に追加し、都道府県、政令指定都市、中核市、特例市に対して、こうした施策の実施目標の設定を義務づけ、それ以外の市町村にこれらの目標設定の努力義務を定めている。また、③市町村は、地域の再エネを活用した脱炭素化を促進する事業（地域脱炭素化促進事業）に対する促進区域や環境配慮、地域貢献への方針などの制定に努めることを定めている。

この改正により、地方公共団体実行計画に適合しているなどの認定を市町村から受けて地域脱炭素化促進事業計画に記載された事業については、自然公園法・温泉法・廃棄物処理法・農地法・森林法・河川法の関係手続きに関するワンストップサービスや、事業計画の立案段階における環境影響評価法の手続き（配慮書）の省略など、関係法令に対する手続きのワンストップ化などの特例を受けることができることになる。二二年七月に長野県箕輪町が全国で初めて促進区域を設定し、二三年四月現在、神奈川県小田原市などさらに八つの市町村が促進区域を設定した。

二二年の温対法改正では、GHG排出量の削減などを行う事業活動に対して、再エネ導入拡大を含む脱炭素社会の実現に寄与する資金供給その他を支援する株式会社脱炭素化支援機構を設立し、その機関、業務の範囲などを規定している。また、都道府県および市町村がGHGの排出量削減などのための総合的かつ計画的な施策を策定・実施するための費用について、国が必要な財政措置その他の措置を講ずるように努めるものとする規定を追加した。

エネルギーの使用の合理化等に関する法律（省エネ法）の改正

二〇二二年の省エネ法改正は、エネルギー使用の合理化（エネルギー消費原単位の改善など）の対象に非化石エネルギーを追加し、工場などで使用するエネルギーについては化石エネルギーから非化石エネルギーへの転換（非化石エネルギーの使用割合の向上）を求め、特定事業者などに対しては非化石エネルギーへの転換に関する中長期的な計画の作成などを求めている。

また、再エネ出力制御時への電気需要のシフトや、需給逼迫時の需要減少を促すため、「電気の需要の平準化」から「電気の需要の最適化」に文言を変えて、電気を使用する事業者に対する指針の整備などを行い、電気事業者に対しては電気需要の最適化に資するための措置に関する計画（電気需要の最適化に資する取組を促すための電気料金の整備等に関する計画）の作成などを求めている。こうした改正とともに、法律名も「エネルギーの使用の合理化及び非化石エネルギーへの転換等に関する法律」に改正した。

建築物省エネ法の改正

二〇二二年の通常国会において、建築物のエネルギー消費性能の向上に関する法律（建築物省エネ法）や建築基準法などの改正が行われた。エネルギー消費の約三割を占める建築物分野での省エネ対策を加速させ、木材需要の約四割を占める建築分野での木材利用を促進するものである。

省エネ性能の底上げとより高い省エネ性能への誘導を行うために、現行は中・大規模の非住宅のみに義務づけていた省エネ基準適合を、すべての新築の住宅・非住宅に義務づける。また、トップランナー制度の拡充や誘導基準の強化などを通じて、ＺＥＨ・ＺＥＢ水準へ誘導する。

さらに、既築の住宅・建築物の省エネ改修や再エネ設備の導入促進のために、省エネ改修に対する住宅金融支援機構による低利融資制度を創設するとともに、市町村が定める再エネ利用促進区域内については建築士から建築主への再エネ導入効果の説明義務を導入し、省エネ改修や再エネ設備の導入に支障となる高さ制限などの合理化を行っている。

航空法、空港法の改正

二〇二二年の航空法改正は、感染症による航空需要の低下を踏まえた支援とともに、航空分野全体における脱炭素化を総合的かつ計画的に推進していくため、国土交通大臣が「航空脱炭素化推進基本方針」を策定する。また、低燃費機材や持続可能な航空燃料（ＳＡＦ）の導入などの取り組みを推進するため、航空会社に対して「航空運送事業脱炭素化推進計画」の作成を義務づけ、国土交通大臣が認定する。空港管理者に対しても、再エネ・省エネの取り組みを推進するために、「空港脱炭素化推進計画」を作成させ、それを国土交通大臣が認定する。航空会社や空港管理者をはじめとする関係者が一体となって再エネ・省エネへの取り組みを推進していく「空港脱炭素化推進協議会」の創設なども定めている。

こうした施策により、日本の空港全体で二〇三〇年カーボンニュートラルを目指すとともに、空港全体で二〇三〇年までに二・三GWの太陽光の導入を目指している。

4　カギを握る「地域」と「需要家」

気候変動対策は今や、企業や金融機関・投資家などの民間主体が先導している。これらの民間主体と同様、国に先駆けて気候変動対策を進めているのが地方自治体である。再エネの導入も、地域と需要家が大きなカギを握っている。

東京都の気候変動対策と再エネ導入策

東京都は、人口一四〇〇万人、日本の人口の一〇%を超える住民を抱える世界最大級の都市である。パリ協定に先立つ京都議定書のころから、革新的な気候変動政策を打ち出してきた。

二〇一〇年度からは、「都民の健康と安全を確保する環境に関する条例（環境確保条例）」にもとづき、オフィスビルを含む大規模事業所に対するＧＨＧ排出削減目標を定め、超過達成分などを事業者間で取り引きできる、世界的にもユニークなキャップ・アンド・トレード（排出量取引）制度を導入している。

国よりも早く一九年には、「２０５０年排出量実質ゼロ（ゼロエミッション東京）」を打ち出し、さらに二一年一月には小池百合子東京都知事が、都内のＧＨＧ排出量を二〇三〇年までに二〇〇〇年比五〇％削減する目標（２０３０年カーボンハーフ）に引き上げると表明した。

新たな環境基本計画では、「２０３０年カーボンハーフ」とともに、それと整合的な二〇三〇年目標として、都内エネルギー消費量（二〇〇〇年比）を五〇％削減することや、再エネによる電力利用割合を五〇％程度にすること、そして都内太陽光発電設備導入量を一三〇万ｋＷから二〇〇万ｋＷ以上に引き上げることを目指す、としている。

二二年一二月に成立した改正環境確保条例はその中核的対策として、①建築物のゼロエミッション化（都内ＣＯ$_2$排出量の七割を占める建築物対策の強化）、②再エネの基幹エネルギー化（再エネ電力を調達しやすいビジネス環境の構築）、③脱炭素経営と情報開示に意欲的に取り組む事業者の後押しを行う。同時に、脱炭素のみならず「災害にも強く、健康的で快適な暮らし」へと転換して、東京が脱炭素型の事業活動ができる「投資や企業を惹きつける魅力ある都市」となることを目指している。

東京都の建築物ゼロエミッション化については、すでに二〇〇〇㎡以上の新築建築物には建築物環境計画書制度が導入されているが、太陽光発電設備等の設置義務やZEV（ゼロエミッション車）充電設備最低基準（義務基準）を導入し、さらに断熱・省エネ性能の最低基準（義務基準）に関しては、国基準以上に強化する。また、低炭素資材の利用や生物多様性への配慮など、さらなる取り組みも誘導する。

加えて、二〇〇〇㎡未満の住宅などの一定の中小新築建築物についても、「請負型規格建物の請負事業者または建築主」に、日照などの立地条件や住宅の形状などを考慮しながら、太陽光発電設備などに関する事業者単位での一定量の設置基準の達成を求めている。同様の制度は、川崎市においても導入されることが決まった。

変わる需要家

東京都が脱炭素型の事業活動ができる「投資や企業を惹きつける魅力ある都市」を目指して、こうしたさまざまな対策を強化するのは驚くことではない。

実際、日本を代表する多くの企業が、二〇五〇年またはそれ以前のカーボンニュートラル達成目標を掲げて対策を進めている。不動産業界を例に取ると、三菱地所は、二一年度から丸ビルや新丸ビルなどの丸の内エリア（大手町・丸の内・有楽町）と横浜ランドマークタワーの計一九棟（延床面積計約二五〇万㎡）で、使用する全電力を再エネ由来にし、さらに丸の内エリアの所有ビルで使用する電力を二二年度にはすべて再エネ電力とする。

また、東急不動産は、二〇二五年には、オフィス、商業施設、ホテルおよびリゾート施設など、保有する全施設で一〇〇％再エネに切り替える予定で、「当社ビルのテナントの皆様は再生可能エネルギーの電力を使用できるようになるため、『環境に配慮した企業』という評価を獲得しやすくなります」とアピールする。再エネの電源開発などを手がける新会社「リエネ」も設立した。

三井不動産も、首都圏で所有するすべての施設で二〇三〇年度までに使用電力のグリーン化を推進し、東京ミッドタウンと日本橋エリアのミクストユース型基幹ビルなど二五棟は、先行的に二二年度末までに使用電力をグリーン化するとしている。

同様に、住友不動産は、入居テナントのうち一〇〇〇社超を対象に『住友不動産のグリーン電力プラン』を提案し、ビル建設に携わるゼネコンには、マンション建設現場で使用する電力の「一〇〇％グリーン電力化」を要請している。

今や、企業の脱炭素化の流れは、自社の事業活動からの排出量（スコープ1、スコープ2）削減に加えて、サプライチェーンやバリューチェーンからの「スコープ3排出量」を削減する動きを見せている。マイクロソフトは二〇二〇年一月、二〇三〇年までにCO_2を自社の排出量以上に削減する「カーボンネガティブ」の実現を目指すと発表し、二〇二五年ころまでに自社の消費エネルギーをすべて再エネ化、さらに三〇年までにスコープ3排出量を半分以下にするという目標を掲げる。そのために、二一年七月から、取引先の選定にあたって候補となる企業には、自社事業からの排出量だけでなくスコープ3排出量の提示を求め、それをもとに取引先を決定している。

日本でも、日立製作所は二〇五〇年度までに、そしてソニーグループは二〇四〇年までに、スコープ3排出量も含めたカーボンニュートラルの達成を目標としている。

また、金融機関や投資家は、中長期的なサステナビリティ課題に企業がいかに対応しているか、環境（Environment）・社会（Social）・ガバナンス（Governance：企業統治）に関する開示情報にもとづいて企業を評価・投資する「ＥＳＧ投資」「サステナブルファイナンス」を拡大している。投融資先企業との建設的な対話を通じてＥＳＧ対応の促進を求める、金融機関・投資家のエンゲージメントも進んでいる。

こうした動きは、ＧＨＧを排出しないで事業ができる企業や、再エネで事業を進める企業が、サプライチェーンの担い手として競争力を高め、金融機関・投資家から高い評価を得る可能性を開くことになる。ＧＨＧを排出しないで事業ができる場、再エネを利用できる場を提供できることが、投資や企業を惹きつけて都市としての魅力を高めることとなる。それが、東京都が気候変動対策を強化・加速しようする理由の一つである。

地域主導の再エネ導入とそのための規律の強化

地域が再エネ導入拡大に大きなカギを握るようになっているからこそ、地域主導で進める地域共生型の再エネ拡大策が重要性を増す。再エネの買取制度はかつてない再エネ導入の拡大をもたらしたが、他方で林地や斜面地での開発や、近隣住民との協議や合意形成を欠いた事業の展開などにより、地域でのトラブルや反対も生じている。

これに対して、森林法の林地開発許可など、土地利用に関わる許可の取得を買取制度の対象となる事業の認定の要件にする措置や、規律違反の認定事業には買取制度の下での支払いを停止する措置など、国も新たな対応策を取っている。

地域主導、地域共生型の再エネ導入を促進するには、開発前段階でのゾーニングが効果的であり、例えば温対法の下での促進区域の設定などと連携することも重要である。

5 再生可能エネルギーの新たな価値

二〇二二年二月に始まったロシアのウクライナ侵攻は、エネルギー価格の高騰やエネルギーの供給不安をもたらした。化石燃料価格の高騰は、再エネ導入の経済性を高め、エネルギーコストを抑える観点からも再エネの拡大が見込まれる。

しかしその一方、エネルギー価格の高騰は、個人や企業のコスト負担を増加させ、再エネ設備や対策の導入に資金を投入する余力を失わせる。エネルギー価格の高騰は素材価格の値上がりなどにつながり、例えば洋上風力のコストが上昇する可能性もある。クリーンエネルギー技術に必要な鉱物などの戦略資源は、ロシアや中国など特定の国に偏在する傾向にあるため、供給途絶や価格上昇が生じるリスクもある。

ウクライナ危機は、たしかにエネルギーシステムの転換を短期的に停滞・後退させうる要因ではあるものの、逆に転換を一層加速する可能性と必要性をも明らかにしている。

短期的には、省エネなどエネルギー需要を低減する対策と同様、再エネの拡大、特に自家消費型の再エネ拡大は、供給力不足の懸念やエネルギー価格の高騰に対処する有効な方策である。家庭と企業の費用負担を緩和し、エネルギーの需給逼迫対策にもなる。石油やガスがまかなう需要を考えると、電力分野だけでなく熱や燃料など、非電力分野の再エネ対策にも重点を置く必要がある。

同時に、代替するエネルギー源の開発・普及には時間がかかるので、中長期的な視点を持って、今から再エネ拡大や新たなエネルギー源の開発・展開など、エネルギーシステムの転換に向けた仕込みを進める必要がある。欧州諸国は、熱や燃料用途の化石燃料を代替するものとして、水素やバイオガスなどの生産拡大とインフラ構築にも力を注いでいる。

特に輸入化石燃料にそのエネルギー供給の約九〇%を依存する日本にとって、エネルギー消費抑制とともに、再エネなど国産のエネルギー拡大に向けた対策は、こうした危機への即時的で効果的な対応でもある。エネルギーを海外に依存するエネルギーシステムからの脱却とエネルギー安全保障の強化という大きな便益ももたらす。危機に直面する今だからこそ、より強靱なエネルギーシステムへの転換を進める契機とすべきである。

注

1　第6次エネルギー基本計画　https://www.meti.go.jp/press/2021/10/20211022005/20211022005-1.pdf（2023年3月31日閲覧。以下も同日閲覧）

2　BS朝日「日曜スクープ」（2020年10月11日放送）「『洋上風力で原発10基分』梶山経産大臣が語る〝脱炭素〟戦略」https://www.bs-asahi.co.jp/sunday_scoop/interview/63/

3 エネルギー基本計画の審議のなかでも、再生可能エネルギーがより大きな割合を占める可能性を想定してモデル分析を行うべきとの意見もあった。

4 二〇二一年九月にまとめられた（二〇二二年四月差し替え）報告書。https://www.enecho.meti.go.jp/committee/council/basic_policy_subcommittee/mitoshi/cost_wg/pdf/cost_wg_20210908_01.pdf

5 IRENA, Renewable Power Generation Cost in 2019 (2020).

6 ——, Renewable Power Generation Cost in 2020 (2021).

エネルギーシステム・電力システムの脱炭素化、エネルギー自給の観点から、自然変動電源を拡大していくなかで生じるこうしたシステム統合コストの規模や影響を検討することが重要である。他方、こうしたシステム統合コストは、系統に統合する方法により、それゆえ電源立地や系統の状況などによっても変わりうる。特定の自然変動電源に帰属させて一般的な電源のコスト評価をすることが妥当かなど留意して検討すべき点がある。

7 https://www.enecho.meti.go.jp/category/saving_and_new/saiene/yojo_furyoku/dl/vision/vision_first_overview.pdf

8 平成三十年法律第八十九号。https://elaws.e-gov.go.jp/document?lawid=430AC0000000089

9 再エネ海域利用法では、促進区域の要件として①自然的条件が適当で発電設備出力が相当程度見込まれること、②航路等へ支障を及ぼさないこと、③港湾との一体的な利用が可能であること、④系統の確保が適切に見込まれること、⑤漁業への支障を及ぼさないことが見込まれること、⑥他法令で指定された海域、水域（漁港区域や港湾区域、海岸保全区域等）と重複しないことを定める。

10 広域系統長期方針（広域連系系統のマスタープラン）https://www.occto.or.jp/kouikikeitou/chokihoushin/230329_chokihoushin_sakutei.html

第3章

エネルギー高騰時代の
クリーンエネルギー技術を
見極めよ

瀬川浩司

1　漂流する日本の「2050年カーボンニュートラル宣言」

気候変動問題は、国際社会が一丸となって取り組むべき重要な課題である。その主因と考えられる温室効果ガスの約九割は二酸化炭素（CO_2）で占められ、そのほとんどはエネルギー由来である。このため世界は、カーボンニュートラル実現に向けて、エネルギー分野を中心に大きな変革が必要となっている。この大きな変革の波を乗り越えるためには、技術だけでなく政策も含めた広い意味でのクリーンエネルギー戦略が必須であり、その成否が各国の行く末を左右することになる。

こうした状況下、経済領域でも世界はクリーンエネルギー分野への投資を急拡大させているが、この場合、投資の対象としてどのような次世代クリーンエネルギー技術が必要とされるか、あるいはその技術が本当に伸長するものなのか、といった見極めがきわめて重要となる。

ウクライナ侵攻と世界のエネルギー転換の動き

エネルギーを取り巻く社会情勢は、二〇二二年二月のロシアによるウクライナ侵攻に伴って予期せぬエネルギー危機（第1章参照）が勃発し、世界に暗い影を落としている。

国際エネルギー機関（ＩＥＡ）は二二年一〇月に公表した「World Energy Outlook（WEO）2022」[1]で、このエネルギー危機が世界のエネルギー供給に与えるインパクトを分析している。それによると、ウクライナ侵攻後に天然ガスのスポット市場が高騰し、これに伴い原油価格、石炭価格ともに上昇。その影響を受けて電力価格は、一部地域で侵攻前の倍以上になるほど跳ね上がった、としている。

紛争当事国のロシアは、石油、天然ガス、石炭を含む化石燃料全体ではいまだに世界最大の輸出国であり、欧米による経済制裁などものともせずに強気の姿勢を崩していないどころか、むしろエネルギー価格の高止まりを誘導しているようにさえ思われる。結果としてその痛みは、紛争当事国や支援国だけでなく世界中に及び、気候変動問題解決に不可欠な世界のパートナーシップは、自国第一主義の陰で崩れかねない状況にも見える。

しかしながらＩＥＡは、このような事態に直面した状況下においてさえ、世界の多くの国々が短期的なエネルギー需給の調整だけでなく長期的な対応を模索していると述べ、気候変動問題への対応は決して後退していないとの見解を示している。

具体的には、エネルギー供給源の多様化、クリーンエネルギーへの転換、省エネルギーの促進など、より持続可能でエネルギー安全保障にも寄与するシステムへの移行を加速させる、との認識でいる。偏在する化石資源に依存するエネルギー供給体制は常に大きなリスクを抱えることになるが、すでに最も安価なエネルギーになった再生可能エネルギーの大量導入が進めば、各国のエネルギー安全保障に貢献するばかりか、脱炭素化にも寄与するのである。

それを裏付けるように、二三年一月のブルームバーグ（Bloomberg NEF）のレポートによれば[2]、二二年の世界の再生可能エネルギー関連投資は、過去最大の一兆一〇〇〇億ドルに達し、その内訳として、太陽光発電と風力発電に対する投資の合計は四九五〇億ドル（前年比一七％増）、電気自動車に対する投資は四六六〇億ドルに達したと報告している。現在、世界では「経済と環境の好循環」に向けたＥＳＧ投資が大きく伸びており、今やこの動きは世界標準ということができる。

国際再生可能エネルギー機関（ＩＲＥＮＡ）が二三年二月に発表した、再生可能エネルギーへの世界の投資動向に関するレポート（Global Landscape of Renewable Energy Finance 2023）[3]でも、世界がエネルギー転換技術（エネルギー効率化を含む）へ投じた金額が過去最高となった、と述べている。

ただしＩＲＥＮＡは一方で、これらの投資額は、世界の平均気温上昇を産業革命前比で一・五度Ｃ未満に抑えるという目標（1・5度Ｃシナリオ）を達成するために二一年からの一〇年間に必要とされる平均投資額の、いまだ四〇％未満にとどまっているとも指摘し、今後、さらなる投資拡大が必要であるとしている。

日本の温室効果ガス削減対策の現状

日本でも、二〇二〇年一〇月二六日、当時の菅義偉首相は、成長戦略の柱に経済と環境の好循環を掲げ、グリーン社会の実現に最大限注力し、二〇五〇年までに温室効果ガスの排出を全体としてゼロにする、と宣言した。

これを受けて二〇年一二月に経済産業省が、二〇五〇年カーボンニュートラルに伴うグリーン成長戦略を発表したが、[4] そのすべてがエネルギー関連であった。[5] その戦略では、二〇三〇年の温室効果ガス（GHG）排出量を一三年度比四六％減とする目標が明記されている。

この目標を達成するためには、一三年度の日本のGHG排出量（CO_2換算）は一四億トン余りであるから、四六％減とするには排出量を七・五億トン以下に抑える必要がある。二〇年度のGHG排出量と比べても、一一・五億トンから一〇年で約四億トン減らさなければならない計算になる。森林吸収による削減量〇・五億トンを加味したとしても、この数字の持つ意味は重い。菅内閣では、こうした点に鑑み、グリーンイノベーション基金の創設に代表されるように、政策を総動員する姿勢を見せていた。

二一年五月には、地球温暖化対策推進法の一部改正が成立した。[6] 改正のポイントは、①二〇五〇年までの脱炭素社会の実現の基本理念、②地方創生につながる再生エネルギー導入を促進、③企業の温室効果ガス排出量情報のオープンデータ化、の三項目である。環境省が発表している日本のCO_2排出量の内訳では、[7]家計関連が約二割、企業公共部門関連が約八割となっており、脱炭素化社会の実現には、排出量の約五割を占める産業部門の脱炭素化が不可欠であるが、同時に、運輸部門を支える輸送エネルギーの脱炭素化、さらには業務・サービス部門で使われる電力の脱炭素化も必要になる。そして最後に残るのが、民生部門に相当する家計部門の脱炭素化である。

また、政府は、さまざまな地域の計画立案に資することを目的として、二〇年一二月に「地域脱炭素ロードマップ」を公表した。[8]その後、四月二〇日の「国・地方脱炭素実現会議」で、二〇三〇年度までに脱炭素化を実現する「脱炭素先行地域」を全国一〇〇カ所以上創出することを表明し、これらの先行地域では、二〇二五年度までに脱炭素への道筋をつけ、二〇三〇年度までにその実現を目指すというのである。

内容を見ると、再生可能エネルギーの地産地消や新築住宅・施設のZEH・ZEB（住宅・ビルのネット・ゼロ・エネルギー）標準化などにより、民生部門（家庭・業務ビルなど）の電力消費に伴うCO_2排出を実質ゼロとすることをゴールに、こうした取り組みを全国に広げる方針が示されている。

そうしたなか、二一年一〇月に岸田内閣が発足すると、日本の脱炭素化に向けた方針に変化が起きる。同月に発表された第6次エネルギー基本計画は菅政権時代に練られたものなので従来の方向性を踏襲したものではあったが、岸田総理自身が英国で開催された国連気候変動枠組み条約第二六回締約国会議（COP26）で、「化石火力をアンモニア、水素などのゼロエミッション火力に転換する」と発言したことが話題になった。

この発言に技術的裏づけがあるのかどうかは、疑問が残るところである。アンモニアの合成には水素が必要となり、ゼロエミ火力というからにはいかにしてグリーン水素を安価に調達するか、また、アンモニアの製造過程で使うエネルギーやその際に排出されるCO_2をどのように処理するのか、の全体像が見えてこない。

さらに、「アジアでゼロエミ火力を普及するために、一億ドル規模の事業を展開する」とも発言しているが、エネルギーシステム全体を考えると少々規模が小さすぎる。結局のところ、小さな実証事業や既存技術であるアンモニア混焼石炭火力にとどまるとすれば、成果はあまり期待できないと考える。

原子力発電への対応

原子力発電について岸田首相は、二〇二二年七月に冬季の電力需給の逼迫に対応するためとして、再稼働させる五基を含めて最大で原発九基を稼働させる方針を表明した。その際「できるかぎり多くの原発の稼働を進め、日本全体の電力消費量の約一割に相当する分を確保する」と説明している。

しかし、原子力発電の再稼働については、本来、各電力会社の申請の下に地域の理解や原子力規制委員会の許認可を経て行われるものであって、首相がどうこう言うべきものではない。さらに、原発の運転期間延長をめぐっては、二三年二月、西村環境相が岸田首相から受けた「新たな安全規制の具体化」などの指示を原子力規制庁の片山長官に伝えた結果、原子力規制委員会では、原発の運転期間の実質延長六〇年超を容認すると、異例の速さで決定した。

このように、首相からの指示の下に拙速な決定が相次いでなされるということは、もはや原子力規制委員会には独立性がないことを示しており、大きな禍根を残すばかりでなく、今後、国民の信頼を完全に失うことになると言える。皮肉なことに、二三年一月には運転開始から三八年目を迎える関西電力高浜原発4号機（福井県高浜町）で制御棒を上下に動かし炉心の出力を調整する駆動装置に異常があり、原子炉が自動停止したばかりである。「原子力発電所の安全確保」という、これまでの政府のスローガンも空しく聞こえてくる。老朽化に由来するトラブルに目をつむるような政策では、とても安全性確保はできない。

ゼロエミ火力にしても原発再稼働にしても、結局は既存の設備の温存にしか聞こえず、きわめて後ろ向きの議論の感をぬぐえない。最大の懸念は、政府がこのような方針を示しているかぎり、日本だけが再生可能エネルギー投資から取り残されてしまう恐れのあることである。畢竟、その場しのぎの延命策は長続きせず、いずれ頓挫するのは自明である。日本の「2050年カーボンニュートラル宣言」は、その方向性を見失って漂流を始めた気がする。

2 日本の再生可能エネルギーの導入状況——二〇三〇年までに倍増できるか

再生エネルギー——日本の現状分析

ここで、日本の再生可能エネルギー導入状況を確認しておこう。[9] 二〇一二年七月から、日本でも再生可能エネルギー電力の固定価格買い取り制度（ＦＩＴ）が始まり、導入拡大が進んだ。制度開始から約一〇年経過した、二二年九月時点での導入状況を**表3−1**に示す。

一見してわかるとおり、太陽光発電の導入拡大が最も顕著であり、買取制度開始前の約五〇〇万ｋＷに対し一三倍以上の六七八〇万ｋＷとなっている。その内訳は、約二割が住宅用太陽光発電で、約八割が非住宅用大規模太陽光発電である。

太陽光に続くのは、風力発電ではなくバイオマス発電の五三〇万ｋＷ。設備認定容量ではバイオマス発電より風力発電のほうが多いが、日本の場合は風力発電に適した陸上の地域が限ら

[表3-1] 2022年9月時点の日本の再生可能エネルギー電力導入状況

（万kW、一般水力除く）

分類	22年9月までの導入設備容量（制度前後計）	12年6月までの導入設備容量（買取制度前）	12年7月以降導入設備容量（買取制度後）	22年9月末までの設備認定済未稼働容量	認定済設備の100％稼働時の全導入量
分類記号	A＋B	A	B	C	A＋B＋C
太陽光発電合計	**6,780.5**	499.3	6,281.2	**1,498.7**	**8,279.2**
住宅用太陽光	1,370.8	472.2	898.6	42.0	1,412.8
非住宅太陽光	5,409.7	27.1	5,382.6	1,456.7	6,866.4
風力発電	**486.6**	249.7	236.9	**1,147.9**	**1,634.5**
中小水力発電	**121.6**	25.6	96.0	**149.2**	**270.8**
地熱発電	**9.4**	0.1	9.3	**12.3**	**21.7**
バイオマス発電	**529.9**	138.1	391.8	**437.8**	**967.7**
合計	**7,928.0**	912.8	7,015.2	**3,245.9**	**11,173.9**

（出所）経済産業省資源エネルギー庁　2023年2月発表データをもとに瀬川計算

れるうえ、環境アセスメントや工事に相当な時間がかかるなどが原因して、実際の導入量は四八七万kWにとどまっている。

その次が中小水力発電の一二二万kWだが、中小水力の場合は設備利用率が高いので、総発電量は風力発電よりも多くなる。一方、地熱発電は大変残念ながら、いまだに一〇万kWにも満たない。日本では、よく地熱資源の豊富さが話題になり地熱発電の賦存量も多いとされてきたが、温泉地との競合や環境アセスメント、リードタイムやファイナンスなどの問題があり、二〇三〇年までには大幅な増加は見込めない状況にある。

これらの再生可能エネルギー発電設備が、実際にどの程度電力を供給できるかは、それぞれの設備利用率に依存するが、二〇年度に各発電設備が日本の年間電力需要のどれほどを担ったかをまとめると、太陽光発電八・九%、バイオマス発電三・四%、中小水力発電二・〇%、風力発電〇・九%、地熱発電〇・三%となっている。これに大規模水力発電の五・八%を加えると、再生可能エネルギーは日本の電力需要の二一・三%を担う計算になる。

この数字をもとに、第6次エネルギー基本計画に示されている、「二〇三〇年における再生可能エネルギー電源比率三六〜三八%」の実現可能性を考えてみよう。大規模水力発電と地熱発電がほぼ増えないとすればこの合計が六・一%なので、その他の再生可能エネルギー電力は、現在の一五・二%から二〇三〇年にはほぼ倍の三〇%以上にする必要がある。

第6次エネルギー基本計画にもとづく二〇三〇年における風力発電の導入目標は、陸上が一七九〇万kW、洋上が五七〇万kWであったが、洋上風力については最近上方修正され、二〇三〇年までに一〇〇〇万kW、二〇四〇年までに三〇〇〇万〜四五〇〇万kWを導入する、と発表された[10]。

一九年四月に施行された「海洋再生可能エネルギー発電設備の整備に係る海域の利用の促進に関する法律（再エネ海域利用法）」では、開発に適した海域について、五つの「促進区域」と七つの「有望区域」が指定されている。促進区域では公募による事業者の選定が行われ、有望区域として指定されると、地元調整のための協議会が立ち上げられて、そこで自治体や関係者間の合意が得られれば促進区域となり開発が進められる、とされている。

二二年末の段階ですでにいくつかの地域が追加されており、二〇三〇年の目標を地域別に見ると、北海道では一二四万〜二〇五万kW、東北では四〇七万〜五三三万kW、九州では二二二万〜二九八万kWとなっており、これらの三つの地域での大規模な開発が見込まれている。仮に二〇三〇年時点で陸上と洋上の目標が達成されたとすれば、年間総発電量の五%程度になると推定される。

太陽光発電の導入拡大には何が必要か

一方、これまで日本の再生可能エネルギー導入拡大の主力を担ってきた太陽光発電はどうなっているだろうか。

実はここ数年、日本の太陽光発電の導入拡大にはブレーキがかかっている、というのが現状である。二〇一四年、一五年の日本の太陽光発電設備の導入量は、年間一〇〇〇万kWを超えていた。しかし、その後の買取価格の低下とFIT（固定価格買い取り制度）からFIP（プレミアム上乗せ買い取り価格制度）への移行によって、現在の年間導入量は、その当時の約半う分程度にまで落ち込んでいる。これに加えて、太陽光発電の事業収益が見通しにくくなったうえ、自前の発電設備を持たない新電力事業が、エネルギー価格高騰によって苦境に立たされ、事業停止に追い込まれたことも影響している。

この間、太陽光パネル自体の価格は低下したにもかかわらず、また、世界では二二年の年間導入量が二億〜三億kWで過去最高になると予想されるなかで、日本だけが太陽光発電導入拡大にブレーキがかかっている状態にある。その原因は、やはり日本の政策に問題があると言える。

経済産業省の「国土面積・平地面積当たりの太陽光発電設置容量は世界一」という発表は事実だが、これは太陽光発電の適地が減っていることを示すものではない。例えば、農林水産省が発表している荒廃農地の面積は二八万haあり、そのなかで再生利用困難なものが一九万haもある。[11] メガソーラーの場合、一ha当たりに一〇〇〇kW（＝一MW）の設備を置くことができると概算すれば、一〇万haを太陽光発電用に転用した場合の発電設備容量は、一億kWになる。

他にも日本立地センターが作成した「産業用地ガイド22年度版」によれば、利用可能な産業用地が四・七万haあり、[12] 分譲対象の二・七万haを太陽光発電にすれば二七〇〇万kWを工場周辺に設置することができるのである。このような場所は、発電事業者と電力消費企業が直接契約する「電力購入契約」通称ＰＰＡ（Power Purchase Agreement）の用地として使えるので、面積以上の価値がある。

今、世界の多くの企業が参加表明しているＲＥ１００（事業用電力を一〇〇％再生可能エネルギーで賄う取り組み）に関連し、世界のサプライチェーンのなかで部品や製品を供給する日本企業にもＲＥ１００に相当する取り組みが求められている。こうしたなか、企業需要家が直接の買い手となるコーポレートＰＰＡを中心に、太陽光発電でつくる電力の需要は今後も高まることになる。

なお、ＰＰＡにはオンサイトＰＰＡとオフサイトＰＰＡがあり、後者は電力の託送料金がかかるが、こうした取り組みに対する支援の意味で、託送料金の軽減も必要になってくる。

政府が本気になって規制緩和や税制優遇措置などを大幅に拡充すれば、二〇三〇年までに太陽光発電を現状の三倍に増やすことも可能なのである。

こうしたなか、一連の太陽光発電における課題を打破できる次世代太陽電池として、日本発の「ペロブスカイト太陽電池」が彗星のごとく登場した。これは、ヨウ素と鉛とメチルアンモニウムのイオン結晶を光吸収層に用いた太陽電池で、発明からわずか一〇年で実験室レベルの小面積テストセルで二六％を超える光エネルギー変換効率に到達している。

結晶シリコン太陽電池がこのレベルに効率向上するのに五〇年以上かかったことを考えると

驚異的開発スピードで、ペロブスカイト太陽電池の高い潜在能力を示すものである。現在、モジュールの変換効率や耐久性では結晶シリコン系太陽電池に及ばないものの、今後研究開発が進めばこれらの問題は解決可能である。

ペロブスカイト太陽電池の特徴は、①軽量かつフレキシブルで既存の太陽電池が設置できない多くの場所に設置できる、②さらなる高性能化が可能で、将来的には電動航空機、ドローン、電気自動車などへの利用も期待できる、③発電層の厚さがわずか一ミクロン以下であり、省資源かつ塗布製造可能で将来劇的低コスト化も期待できる、④発電層の重量の六割を占めるヨウ素は日本が世界生産量二位でシェアは三割持っており、従来の太陽電池生産の課題であった原料の国内調達も問題ない、⑤マテリアルリサイクルも可能で大量生産しても従来のシリコン系太陽電池のような廃棄の問題はなくサーキュラーエコノミーに対応できる、など良いことずくめである。

こうしたことから、二一年度に開始されたグリーンイノベーション基金でも、ペロブスカイト太陽電池が主要なテーマの一つに挙げられ本格的な製品化に向けた研究開発が進んでいる。自由民主党の国産再エネに関する次世代型技術の社会実装加速化議員連盟でも、洋上風力発電に続く重要課題として取り上げられ、国として大きな支援策を進めることが俎上に載ってきた。さまざまな実証研究も進みつつあり、積水化学工業が、種々の実証共同研究（東京都森ケ崎水再生センター、NTTデータ、JR西日本等）を進めている。ペロブスカイト太陽電池が太陽光発電のパラダイムシフトを実現できるかどうかは、ここ数年が正念場である。

風力や太陽光による発電に、バイオマス発電や中小水力発電が加わることになるが、再生可能エネルギー導入拡大に向けた大胆な政策がまったく取られない場合は、再エネ全体で二〇三〇年の目標値の三六〜三八%には遠く及ばず、最大でも三〇%前後にとどまるのではないか、と考えられる。世界の再生可能エネルギー電力比率は、現状ですでに約三〇%なので、日本の対応はやはり一〇年遅れということになる。日本政府の本気度がどの程度なのかは、この一、二年の施策で明らかになるだろう。

3 制約条件下での日本のエネルギー需給システムの最適化

技術の視点で二〇三〇年までにまず取り組まなければならないのは、日本のエネルギー需給システムの最適化である。日本のエネルギー供給を考える場合、第一に「エネルギー安全保障」に寄与するか否かが問われる。

日本の電力について、かつては「サハラソーラーブリーダー計画」「GENESIS計画」、最近でも「アジアスーパーグリッド」など、国際連系を基礎にしたアイデアが出されてきたが、日本の地政学的条件を考えるとまったく実現不可能であろう。

ドイツのノルドストリームの例を挙げるまでもなく、エネルギー供給側はエネルギー消費側よりも常に強い立場にある。日本の場合、そもそも一九七〇年代の二度のオイルショックを経験して、その反省から中東石油への依存度を減らしエネルギーの多様化を進めてきた経緯がある。七四年に始まった「サンシャイン計画」や原子力発電の推進も、この流れのなかにあった。日本のエネルギー供給を、固定された国際連系線に頼るのはいかにもリスクが高い。ウクライナの電力系統が、ロシアによる侵攻直前まで、ロシアの電力系統にがっちり組み込まれていたことを想起すればわかりやすい。したがって、日本にとって最も必要なのは、まずは日本国内でのエネルギー需給システムの最適化であり、それを可能にするための技術の導入なのである。

求められる東西の連携および送電網の強化

このような技術の導入に関して、二〇二二年に、経済産業省が北海道から首都圏に直接電力を送る海底高圧直流送電線を新たに整備する方針を発表している。[13] 首都圏では電力消費の多い夏と冬に需給が逼迫しやすいことから、他の地域からの供給量をいかに増やすかが課題となっていた。北海道でつくられる再生可能エネルギー電力は、これまで首都圏での利用がかなわなかったのだが、経産省は今回、北海道から首都圏に直接電力を送るルートを新たに整備することを決め、全国の電力需給を調整する電力広域的運営推進機関に具体的な計画を策定するよう要請したのである。

その第一段階として、日本海の海底を通って北海道と首都圏を結び、最大で二〇〇万kWの電力を融通するシステムの計画を二〇二四年までに策定して、二〇三〇年代の運用開始を目指すとしている。北海道では風力発電の増加が見込まれており、これまで進められてきた北海道管内での送電網の強化[14]、北海道―本州連携や東北電力―東京電力間の地域連系線の強化[15]に加え、新たな海底高圧直流送電線を整備することで、首都圏の電力需給の逼迫解消に寄与することが期待される。

このような地域連系線の強化は、いずれ西日本にも必要となると考えられる。

ダイナミックプライシングの活用

太陽光発電の普及に向けては、「ダイナミックプライシング」の活用が有効である。経済産業省でも、ようやく電気料金のダイナミックプライシング義務化の検討が始まった[16,17]。すでにダイナミックプライシングが普及している欧米と比べれば少々遅れ気味の感はあるが、今後、さまざまな電力普及の取り組みに影響するものであるため、きわめて重要である。

この制度が実現すれば、日本でも消費者が昼間に安い料金プランを選びやすくなり、電力の需給調整に寄与することにもつながる。つまり、ダイナミックプライシングにより昼間の電気が安くなって需要が増えれば、例えば一九年度に起きた、太陽光発電の多い九州電力管内で七四日間太陽光などの発電を止める事態や、東北電力管内で二一年五月に、電気の需要に対する再生エネの比率が一時八八%に達する、といった抑制対象が減る可能性がある。

さらに二〇三〇年以降には、太陽光発電の大量導入によって昼間の電気料金が〇円近くになることも増えると考えられる。これは、次に述べるVPP（バーチャル・パワー・プラント、仮想発電所）の活用技術やグリーン水素（再生可能エネルギー電力でつくる水素）の利用とも絡む問題で、二二年五月に関連する省エネ法の改正案が成立しているが、本格的な取り組みは今後に期待されている。

認可が待たれる蓄電池からの逆潮流

では、このダイナミックプライシングが、実際にどのように需給調整に寄与するのかを見ていくことにする。まず蓄電池だが、需給調整に使える蓄電池は、家庭用の定置型蓄電池や電気自動車（EV）の蓄電池である。日本では、ダイナミックプライシングに関連して電気自動車の充電シフト実証事業が、一般社団法人環境共創イニシアチブで実施されている。[18] これは電力需給状況等に応じた電気料金による電力消費のシフトを検証する事業で、電気自動車を活用した効率的な電力システムの構築と再生可能エネルギーの利用拡大、調整力の確保、系統増強の回避などを目的としている。

こうした事業は、現状ではまだ小規模な事業にとどまっているが、今後は大規模導入が見込まれる。現在の法令ではまだ蓄電池からの逆潮流は認められていないが、今後はこれを認める方向に進まざるをえないだろう。

これまで経産省は太陽光発電について、パワーコンディショナー（ＰＣＳ）の連系出力により、日中にＰＣＳでカットされていた電気を蓄電池に充電しておいて、夕方以降に放電・逆潮流して固定価格買い取り制度（ＦＩＴ）によって売電する方式を認めていなかった。

これに連動して蓄電池からの逆潮流も認められていなかったのだが、蓄電池の併設はこれまで捨てていた太陽光発電による電力を有効活用し、時間レベルの需給調整をも容易にする技術として系統運用上も望ましいと評価されるようになった。今後は一定の条件下で、蓄電池からの逆潮流も認められることになると考えられる。

すでに一部の例外ではあるが、系統の熱容量問題をクリアするため、新設のメガソーラーに蓄電池を併設してピークカット分を充電しておき、夜間に売電する方式を採用した事例もあるようだ。こうしたことは既存技術でも十分対応可能であるが、国内でこれらの事業化を進めている企業は少ない。今から準備を進める必要があるだろう。

欧米の蓄電池利用の事例

ダイナミックプライシングと蓄電池からの逆潮流によるVPP（仮想発電所）の利用で先行しているのが、米国ハワイ州である。米国ハワイ州では、二〇四五年に電力の一〇〇%を再生可能エネルギーで賄うことを州の法律で決めているが、これを実現するために六〇〇〇台の住宅用蓄電池を導入し、米国ベンチャーの Swell Energy 社がVPPによるサービスを開始することになっている。[19]

現在ハワイ電力管内にある変動性再生エネルギー（太陽・風力）発電設備が全体に占める比率は、七九・五%にも上る。この電力の不安定性をビジネスチャンスにしたのが Swell Energy 社であり、設備への投資額は四億五〇〇〇万ドルで、六〇〇〇台の蓄電池を太陽光発電と併用させながら、情報通信網で制御しながら系統に接続し、ハワイ電力の指令に応じた蓄電・放電制御をするという。ハワイ州の電力事業規制当局の認可を得て、VPPによるアンシラリーサービスをハワイ電力が購入する。

これが完成すると、二・五万kWの太陽光発電と八万～一〇万kWhの蓄電池で構成されるVPPが、ハワイ電力の送電系統に接続されることになり、変動性再生エネルギーの出力変動を制御して需給バランスを取るのが容易になる。

一方、欧州では、テスラ社の動きが活発だ。テスラ社では、欧州に充電ステーションを増やし続けており、すでに欧州全域の九〇〇カ所に一万台以上のスーパーチャージャーを設置した、と発表している。なかでもドイツでは、スーパーチャージャー充電にダイナミックプライシングを導入しており、充電料金は場所と時間によって一キロワット時（ｋＷｈ）当たり四六セントから七四セントの幅がある。最も安い価格は、午後一〇時から午前六時までの夜間に適用されるのだが、これはエネルギーの有効利用よりも混雑緩和に重点を置いたものである。

日本でも、経産省が、電気自動車（ＥＶ）の充電網に関するルール整備に着手している。将来ＥＶが普及し、超急速充電器の台数が増えた場合、充電負荷が増して電力系統などに影響が出る可能性がある。したがって、ＥＶが大量に普及した際にも安定した供給力や充電環境を保つため、充電時間帯の分散や充電制限などの仕組みをつくる必要がある。充電する時間帯が偏らないように車両側で調整するシステムや、充電器への蓄電池の併設、あるいは充電制限をかける条件などを制度化するのである。同時に、車載電池の活用に向け、ＥＶに関連するデータ連携の可能性も探らなければならない。

充電器の販売時に、遠隔で充電速度の制御機能などを義務づけている英国などの事例を参考にする必要のほか、日本版のＥＶ充電料金のダイナミックプライシングの導入も必要になる。

政府は二〇三〇年までの目標として、ＥＶ用の充電インフラ一五万基の設置を掲げており、このうち三万基は公共用の急速充電器となる。政府目標の達成に向けて設置ペースを加速すると同時に、拙速に陥らない適切な制度設計が不可欠である。

ドイツに見る再生可能エネルギーへの取り組み

次に、水素による蓄エネルギーと電力との関係を見ていく。ドイツ連邦政府が発表した「Climate Action Programme 2030（Lower CO_2 emissions from energy generation）」によれば、二〇三〇年の温室効果ガス削減目標を六三％減とし、二〇三〇年には太陽光発電一億ｋＷ、陸上風力発電七一〇〇万ｋＷ、洋上風力発電二〇〇〇万ｋＷ、バイオマス発電八四〇万ｋＷを導入し、再生可能エネルギー電力の割合を六五％まで引き上げる、と述べている。[20]

これらはすべて、二一年一月に施行されたドイツの再生可能エネルギー法（ＥＥＧ２０２１）に明記されているものである。ドイツの場合、電力の最大需要は八〇〇〇万ｋＷ／日ほどなので、二〇三〇年の目標合計である約二億ｋＷという再エネ電力導入量は、ピーク需要の約二・五倍にもなり、大きな数字に見える。

しかしこの数字は、セクターを超えたエネルギーマネジメントを考えた場合、きわめて合理的な数字であり、再生可能エネルギーの導入目標や温室効果ガス削減目標と合理的に整合している。

ドイツは、〇三年以降ずっと「電力輸出国」であり、かつ総電力に占める再生可能エネルギー電力の比率が五割に近づいている。したがって、その環境価値のついた電力をEU諸国に販売拡大する戦略も見て取れる。これに加え、二〇年六月、ドイツ連邦政府は「国家水素戦略」を採択し、そのなかで対象とする水素は「グリーン水素」すなわち再エネ電力でつくる水素であることを明示している。また、二〇三〇年までに水素電解プラントを五〇〇万ｋＷ規模まで拡大し、グリーン水素一四ＴＷｈの供給を目指し、さらに二〇四〇年までにこれを一〇〇〇万ｋＷ規模まで拡大するとしている。

ただし、エネルギーの運搬については、水素より電力のほうがコスト面で有利であるため、水素は今後、エネルギーキャリアとしての役割よりエネルギー貯蔵物質としての価値のほうが重要になりそうである。

以上の状況を総合的に考えると、日本の場合は電力を中心としたエネルギー安定供給体制の再構築が急務で、これらに資する技術を即刻強化する必要がある。広域電力系統連系の強化により調整機能が拡大すれば、再生可能エネルギー電力の変動緩和も吸収でき、再エネ電力のさらなる導入拡大が可能になる。

また、ダイナミックプライシング、蓄電池導入拡大、電力と水素の相互運用などが進めば、化石資源の輸入に頼らない安定したエネルギー需給体制が構築でき、その先には、安価なグリーン電力とグリーン水素を基盤とする輸送用燃料の脱炭素化も見えてくる。二〇三〇年までに、エネルギー需給システム最適化に関する技術は、ますます重要性を高めるだろう。

4 避けて通れない輸送用エネルギーの脱炭素化

最後に、二〇三〇年までに取り組むべき重要課題として指摘しておきたいのは、輸送用燃料の問題である。日本では、この点の議論が意図的に避けられてきたのではないかと思う。

現在の最終エネルギー消費のうち、約半分はガソリン等の輸送用燃料が占める。カーボンニュートラルを達成するためには、この輸送用燃料をグリーン水素やグリーン電力に置き換える必要がある。この流れのなかでは、ハイブリッド車はもはや許容されず、グリーン水素によるFCV（燃料電池車）かグリーン電力によるEVにせざるをえない。

特に、GHGプロトコル（温室効果ガス排出量を算定し報告する国際基準）における「スコープ3（サプライチェーン全体での排出量）」の排出量削減を達成するためには、この点は避けて通れない。

欧米のガソリン車廃止の動きはこの流れによるものであるが、輸送用化石燃料を減らすということは、その分を電力で補うために供給を増やさなければならないことを意味する。前述した「ドイツの電力需要のピークが八〇〇〇万ｋＷであるのに、二〇三〇年の再生可能エネルギー電力導入目標合計が約二億ｋＷ」で、ピーク需要の約二・五倍が計画されているのは、このためである。

日本の第6次エネルギー基本計画の最大の欠陥は、電力を増やさなければ輸送用化石燃料を減らすことができないにもかかわらず、逆に電力を減らすとしていることにある。欧米では、ＥＶの導入拡大がかなり進んでいるが、これに併せて公費負担での充電設備もかなり整備されている。一方日本は、ＥＶの導入も圧倒的に遅れており、充電設備の少なさも非常に問題である。

この点については、政府が長期目標を立て、両方の導入拡大を積極的に進めていくべきであると考える。このような技術はすでに確立したものであるので、二〇三〇年までの即効性のある施策になる。

一方、鉄道輸送はどうかと言えば、日本の場合、鉄道網が広く普及している強みはあるものの、ここ数十年、鉄道輸送の減少傾向は続いている。需要側からすれば、やはり鉄道輸送は現代の物流にそぐわない、ということなのだろう。これに加えて、再生可能エネルギー電力が豊富なはずの北海道や九州では鉄道の電化率がきわめて低い。これをいかに解消するか、も考えなければならない。

地方の不採算路線の電化が不可能であることは理解できるが、小型のＢＲＴ（バス・ラピッド・トランジット）にＥＶ、ＦＣＶを組み合わせるなど、代替する新交通技術を導入することによって、地方創生や利便性の向上にも資する新システムの導入が待たれるところである。脱炭素社会に向けた鉄道輸送のあり方については、最新の技術を取り込むと同時に、日本全体の発展に資する方向に再構築する必要があるだろう。

文献

1 IEA “World Energy Outlook (WEO) 2022,” IEA, October 2022
https://www.iea.org/reports/world-energy-outlook-2022

2 Global Low-Carbon Energy Technology Investment Surges Past $1 Trillion for the First Time, Bloomberg NEF, January 2023
https://about.bnef.com/blog/global-low-carbon-energy-technology-investment-surges-past-1-trillion-for-the-first-time/

3 Global Landscape of Renewable Energy Finance 2023, IRENA, February 2023
https://www.irena.org/Publications/2023/Feb/Global-landscape-of-renewable-energy-finance-2023

4 ２０５０年カーボンニュートラルに伴うグリーン成長戦略（経済産業省）
https://www.meti.go.jp/press/2020/12/20201225012/20201225012-2.pdf

5 ２０５０年カーボンニュートラルに伴うグリーン成長戦略（内閣官房ほか9府省庁）
https://www.meti.go.jp/press/2021/06/20210618005/20210618005-3.pdf
6 地球温暖化対策推進法の成立・改正の経緯（環境省）
https://www.env.go.jp/earth/ondanka/keii.html
7 ２０２０年度の温室効果ガス排出量（確報値）について（環境省）
https://www.env.go.jp/press/110893.html
8 地域脱炭素ロードマップ～地方からはじまる、次の時代への移行戦略～（内閣府）
http://www.cas.go.jp/jp/seisaku/datsutanso/pdf/20210609_chiiki_roadmap.pdf
9 再生可能エネルギー　事業計画認定情報（経済産業省　資源エネルギー庁）
https://www.fit-portal.go.jp/PublicInfoSummary
10 洋上風力産業ビジョン（第１次）概要（経済産業省　資源エネルギー庁）
https://www.meti.go.jp/shingikai/energy_environment/yojo_furyoku/pdf/002_02_02.pdf
11 令和２年の荒廃農地面積について（農林水産省）
https://www.maff.go.jp/j/press/nousin/nihon/211111.html
12 産業用地ガイド　２０２２年度版（日本立地センター作成）
https://www.jilc.or.jp/files/libs/2113/202301310957349050.pdf
13 長距離海底直流送電の整備に向けた検討会資料（経済産業省　資源エネルギー庁）
https://www.meti.go.jp/shingikai/energy_environment/chokyori_kaitei/index.html
14 風力発電のための送電網整備実証事業費補助金（経済産業省　資源エネルギー庁）
https://www.enecho.meti.go.jp/category/saving_and_new/new/wind_power/
15 広域系統整備計画（経済産業省　資源エネルギー庁）

https://www.meti.go.jp/press/2021/05/20210519001/20210519001.html
16 使用量や時間によって変動する料金制度（経済産業省　資源エネルギー庁）
https://www.enecho.meti.go.jp/category/electricity_and_gas/electric/fee/stracture/ratesystem.html
17 安定的なエネルギー需給構造の確立を図るためのエネルギーの使用の合理化等に関する法律等の一部を改正する法律案（経済産業省　資源エネルギー庁）
https://www.meti.go.jp/press/2021/03/20220301002/20220301002.html
18 ダイナミックプライシングによる電動車の充電シフト実証事業
https://sii.or.jp/dp03/conference.html
19 Hawaii PUC Approves Swell Energy's Grid Services Contract with Hawaiian Electric (Swell Energy)
https://www.swellenergy.com/press/hawaii-puc-approves-swell-energys-grid-services-contract-with-hawaiian-electric/
20 ドイツ連邦共和国 Climate Action Programme 2030「Lower CO_2 emissions from energy generation」
The Press and Information Office of the Federal Government
https://www.bundesregierung.de/breg-en/issues/climate-action/lower-co2-emissions-1795844

第4章

エネルギーとのセクターカップリングでEV普及を

平沼 光

1　ウクライナ危機と電気自動車（ＥＶ）

カーボンニュートラルに必須な運輸部門の脱炭素化

世界では、パリ協定の発効を大きな転機に、気候変動問題への対処として化石燃料から再生可能エネルギー（再エネ）への転換を加速させるなど、カーボンニュートラルを目指す動きが進んできた。

気候変動の要因である地球温暖化を進める温室効果ガス（ＧＨＧ）の一つ、二酸化炭素（CO_2）の、世界における排出量の部門別割合（二〇一九年直接排出量）を見ると、エネルギー（発電、熱供給）部門：四三・九％、運輸部門：二五・七％、産業部門：一九・七％、ビル（建築等）部門：八・八％、その他：一・九％となっており[1]、エネルギー部門と運輸部門だけでCO_2排出量の約七〇％を占めている。

カーボンニュートラルを達成するためには、各部門におけるCO_2排出量の削減を具体的に進めていくことが求められるが、日本の部門別排出でも運輸部門は排出比率の多い部門の一つであることから[2]、カーボンニュートラルに向けては、CO_2排出量が最も多いエネルギー部門るとともに、電気自動車（ＥＶ）などモビリティーの電動化によって運輸部門の脱炭素化を進めることが欠かせないのである。

ウクライナ危機で高まるモビリティーの電動化の必要性

気候変動問題への対処に必須となるモビリティーの電動化であるが、エネルギーの安全保障面でもさらにその動きの必要性をひしひしと感じさせる事態が起きた。ロシアによるウクライナへの軍事侵攻である。

周知のとおり、ロシアは化石燃料大国であり、原油の世界生産量におけるシェア（二〇二〇年）では、一位：米国（一八・六％）、二位：サウジアラビア（一二・五％）に次いで第三位（一二・一％）の生産量を誇っている。また、天然ガスの世界生産量でのシェア（同年）でも、一位の米国（二三・七％）に次いで一六・六％の二位であり、[3]世界はロシアの化石燃料に依存してきたと言っても過言ではない。特に欧州連合（ＥＵ）は二一年、ロシアから天然ガスの全輸入量の四五％、原油の二七％、無煙炭の四六％を輸入しており、[4]ロシアへの依存度は非常に高い状況となっていた。

このように各国がロシアの化石燃料に依存してきた状況のなかでも、ロシアによるウクライナへの軍事侵攻は国際社会の強烈な反発を招き、ＥＵをはじめとする各国は、ロシアへの制裁とエネルギー安全保障のために、ロシア産石炭・石油の輸入禁止やロシア以外の天然ガス供給先の確保など、脱ロシア依存の政策を推進した。これに対して、ロシアが資源ナショナリズムの対応を強めたことで、世界は化石燃料価格の高騰に見舞われることになった。

こうした状況に対して国際エネルギー機関（ＩＥＡ）は、ウクライナ危機への対処の一環として、二二年三月に『石油消費削減のための一〇項目計画（"A 10-Point Plan to Cut Oil Use"）』（以下、ＩＥＡ計画）を公表。世界の石油消費量（一九年）の内訳を見ると、消費の大半となる六五％が自動車をはじめとする運輸部門で消費されていることから、このＩＥＡ計画では、具体的な措置として、大都市における自家用車の交互利用規制、カーシェアリングの普及と燃料節減、電気自動車（ＥＶ）や燃費効率の高い車の普及加速など、自動車の燃料削減を中心とした一〇項目の措置が示されている。

特に、ガソリンを使わない電動化車両であるＥＶは、その普及拡大によって大きな石油削減効果が期待できるとともに、ウクライナ危機で生じたエネルギー安全保障への有効な対処法として、その必要性がさらに高まっている。日本の石油消費量（一八年度）の内訳でも、自動車燃料が四三・五％と最も多くを占めていることから、日本もエネルギー安全保障への対処が強く求められる。[5]

2 ＥＶ普及の現実と都市伝説的な話

ＥＶ普及を進める各国と遅れる日本

エネルギー安全保障の面からも必要性が高まってきたＥＶだが、すでに各国はＥＶの普及拡大に前向きに取り組んでおり、その販売台数は着実に増えてきている。例えばＥＶ大国とされる中国は、ＥＶ販売台数を二〇一八年の約八二万台から、二一年には約三倍の二七三万台に伸ばしており、米国も二一年は一八年の販売実績二四万台の約二倍となる四六万台の販売を達成している。また、ＥＶ普及に積極的な欧州は、二一年には一八年の販売実績二〇万台の約六倍となる一二三万台を記録し、国別に見ても、二一年はドイツ三六万台、英国一九万台、フランス一七万台と、各国とも一〇万台を超える実績を上げている（**表４－１**）。

欧州では、今後さらにＥＶシフトが加速される見通しにある。欧州委員会（ＥＣ）は二一年七月に環境政策パッケージ「Fit for 55」を発表し、新車のCO_2排出量を二〇三〇年までに二一年比で五五％削減、二〇三五年までに一〇〇％削減するという、乗用車・小型商用車のCO_2排出基準に関する改正規則案を示した。

[表4-1] 電気自動車（BEV）の国・地域別年間販売台数推移

	2018年	2019年	2020年	2021年
中国	816,000	834,000	931,000	2,734,000
欧州	202,000	363,000	746,000	1,231,000
米国	239,000	242,000	231,000	466,000
ドイツ	36,000	63,000	194,000	356,000
英国	16,000	38,000	108,000	192,000
フランス	31,000	43,000	110,000	171,000
日本	27,000	21,000	15,000	22,000

（出所）IEA “Electric Vehicles Technology deep dive Tracking report — September 2022”
https://www.iea.org/reports/electric-vehiclesをもとに著者作成

ＥＵ理事会（閣僚理事会）と欧州議会が二二年一〇月にこの改正案の暫定合意に達しており、ＥＵでは二〇三五年以降はCO_2を排出する内燃機関を搭載する車の生産を実質禁止することが決定されている。[6] その後、二〇二三年三月にＥＵ理事会がカーボンニュートラルな合成燃料のみを使用する車の販売を三五年以降も認める方針を示しているが、ＥＶが主力となる方向性は変わらない。これは、あと十数年で欧州に年間一〇〇〇万台規模のＥＶの巨大市場が誕生することを意味する。

欧米、中国などがＥＶの販売台数を右肩上がりで伸ばしている一方、日本のＥＶ販売台数は、一八年に二万七〇〇〇台であったものが二一年には二万二〇〇〇台と、右肩下がりに減らしてしまっている。仮に日本が、ＥＶだけでなくプラグインハイブリッド（ＰＨＶ）、ハイブリッド車（ＨＥＶ）、燃料電池車（ＦＣＶ）を含めたすべての電動化車両について全方位開発を進める戦略を取るにしても、今のＥＶ普及状況は諸外国に比べて極端に後れを取る状況にあり、根本的な改善が必要である。

そもそも日本は、日産自動車が量産型のＥＶとしては世界初となるリーフを二〇一〇年に市場投入するなど、ＥＶの先駆者だったはずである。また、ＥＶの心臓と言えるリチウムイオン電池の開発においては、一九年に吉野彰博士がノーベル化学賞を受賞しており、日本は世界トップの技術保有国とも言える。

本来は最もＥＶ普及を推し進めるべき国であるにもかかわらず、現状は諸外国に大きく水をあけられてしまっている。その結果、リチウムイオン電池市場での日本の競争力も、急激に低下するという事態も招いた。

日本は、一五年の世界市場における車載用リチウムイオン電池のシェアが四〇・二%を占め、世界のトップを誇っていたが、わずか五年でシェアを奪われ、二〇年には二一・一%にまで低下している。定置用リチウムイオン電池はさらに深刻で、一六年には世界第三位となる二七・四%のシェアを占めていたが、二〇年には一桁台の四・五%にまで激減している。[7]

リチウムイオン電池市場は、一九年には車載用、定置用を合わせて約五兆円でしかなかったものが、二〇三〇年には約四〇兆円、そして二〇五〇年には約一〇〇兆円の大規模市場に成長すると見込まれているため、[8]この分野で後れを取るわけにはいかないのである。

また、リチウムイオン電池をはじめとする蓄電池は、エネルギー転換を推進するための高度なエネルギーシステムに欠かせないばかりでなく、さまざまな産業においてコアデバイスとなってくる重要な分野でもあるので、蓄電池市場での競争力の低下は産業競争力全体の喪失につながりかねない。

欧州でのEV普及の先行は、HEV技術で日本にかなわないことから、気候変動問題を大義名分にEVで逆転しようとする欧州の戦略だ、といった話をよく聞くが、前述したとおり、そもそも日本はHEV技術のみならずEV技術においても欧州を超える先進国であった。

日本はEVの技術開発と普及を継続して行っていれば、今頃EVにおいても世界の覇権を握っている可能性があったはずなのだが、何ら積極的な手を打つこともなくきてしまったことで他国の追随を許してしまった、というのが実情である。欧州の戦略というよりは、日本の自動車政策の見通しの甘さが招いた自爆ととらえるべきだろう。

企業の脱炭素経営に必要なEV

EV普及で後れを取る日本だが、企業経営の視点からも、無策では済まされない状況になってきた。環境（Environment）、社会（Social）、企業統治（Governance）に配慮した経営を行う企業に投資するESG投資が世界的に拡大しているなか、投資を集めるためには、企業自らが再エネを積極的に調達するなど、脱炭素経営を推進する必要に迫られている。

そのため企業は、気候変動への取り組みと、その影響に関する情報を開示するＴＣＦＤ（Task Force on Climate-related Financial Disclosures）をはじめとする種々の国際的な脱炭素経営の枠組みに参加し、積極的に取り組んでいかなければならない状況にある。

特に東京証券取引所が二〇二一年六月にコーポレートガバナンス・コード（企業統治指針）を改訂し、プライム市場に上場する企業は、ＴＣＦＤの気候変動に対する情報開示要求に則って、企業活動における気候変動への影響やその対策に関する情報を開示することが求められるようになった。[9] このように、企業にとって脱炭素経営の推進は避けられないものになっている。

ＴＣＦＤが求めるCO_2排出量削減に関する情報開示では、スコープ１：事業者自らによる直接排出（燃料の燃焼、工業プロセス）、スコープ２：他社から供給された電気、熱・蒸気の使用に伴う間接排出、スコープ３：スコープ１・２以外のサプライチェーン全体の間接排出（事業者の活動に関連する他社の排出）、の三つの開示が求められている。

ＴＣＦＤで必要とされる情報開示は多岐にわたり、スコープ３では、購入した原材料や部品などのサプライヤーから自社への物流（輸送、荷役、保管）に伴う排出、自社が販売した製品の最終消費者までの物流（輸送、荷役、保管、販売）に伴う排出、そして、従業員が通勤・出張する際の移動に伴う排出に関してまでも開示が求められている。そのため、企業はＥＶの積極的な活用などでのサプライチェーン全般の物流、移動の脱炭素化が必須となり、企業の脱炭素経営のためにもＥＶの普及が必須となっている。

ＥＶは走行中に電池切れになるか？

気候変動問題、エネルギー安全保障、そして企業の脱炭素経営といったさまざまな面からその普及が急務となっているＥＶだが、いまだに日本ではＥＶ普及に逆行するような都市伝説じみた話も聞かれる。

一つは、走行中に電池切れとなることが懸念されるという話である。経産省が二〇一一年一月、自動車の利用者および今後自動車の利用を希望する人を対象に行ったＥＶをめぐる認識に関するアンケート調査結果（回答者数一一〇二名）では、車の運転状況について「一日の走行距離の頻度は、概ね五〇㎞以下が日常的であり、五〇～一〇〇㎞が月数回から年数回、一〇〇㎞～二〇〇㎞も年数回程度が多いという傾向が見られる。また、電気自動車の航続距離を超える二〇〇㎞以上がまったくないという層は、約三分の一強（三五・五％）見られる」[10]と報告された。

すなわち、多くのユーザーにとっては一日五〇㎞以下という日常的な走行に対応できるかがポイントになるが、経産省が二二年六月に公表した資料「クリーンエネルギー自動車導入促進補助金について」では、日産リーフXの一〇年モデルがバッテリー容量：二四ｋＷｈ、一充電走行距離：一六〇㎞、車両価格（定価）：三五八・五万円であったのに対し、一七年モデルはバッテリー容量：四〇ｋＷｈ、一充電走行距離：三二〇㎞、車両価格（定価）：三二五・三万円になっている。

つまり、二〇一〇年から一七年にかけてバッテリー容量は約一・六倍、航続距離は約一・八倍と性能が向上したにもかかわらず、航続距離あたりの車両価格は二・二万円から一万円と半額以下になっていることが報告されている。このことは、五〇㎞以下という日常走行には十分であり、二〇〇㎞以上の対応も可能で、なおかつ価格も下がってきたことを証している。運転状況の実態を考えれば「ＥＶ＝走行中に電池切れ」という話をいたずらに信用してはいけないのである。

ＥＶの普及拡大は停電を引き起こすのか？

また、「すべての乗用車をＥＶ化した場合、電力需要が一〇〜一五％増え、夏の電力需要のピーク時に電力不足が起きるのではないか」といった漠然とした話もある。しかし、この話に関しては十分な検証が必要である。まず、これまでのＥＶの充電状況から考えても、日本中のＥＶが同時一斉に充電を開始することは考えにくい。もちろん、そのような事態が起これば電力需給のバランスに影響を及ぼすと考えられるが、まずありえない事態であろう。

夏の電力需要のピークは一四時ころになるが、当然この時間帯にＥＶの充電量が増えれば、生活への影響も出てくるだろう。しかし、国交省が二〇一二年に公表したＥＶの利用実態調査[11]では、個人ユーザーの充電時間帯は、二三時から六時に約六〇％が集中しており、深夜電力を活用しているユーザーの多いことが確認されている。

法人ユーザーの充電時間帯も、電力需要のピークとなる一三時から一五時にかけては一日のうちで最も充電が少ない時間帯となっており、ＥＶの充電は電力需要のピーク時を避けたかたちで行われていることが判明している。

また、英国の電力小売事業者オクトパスエナジー（Octopus Energy）は、ＥＶ充電メニュー（二〇二三年一月二二日現在）として、需要が少ない夜間に風力発電などを活用して毎晩〇時三〇分～四時三〇分の間、再エネ一〇〇％の電力を一二ペンス／ｋＷｈ（約一九円／ｋＷｈ）で供給する安価な料金プランを提示するなど、充電をオフピーク時に誘導している事例もある[12]。

したがって、「ＥＶ普及＝電力需要のピーク時に電力不足」として、普及と電力不足を安易に結びつけることなく、十分に検証することが必要である。

ＥＶ普及による電力需要増への対応は、再エネの普及拡大と充電タイミングのマネジメントの両輪を回すことがポイントとなる。

欧州では再エネの普及を進めるだけでなく、電力系統に直接接続されている発電設備や需要側の蓄電設備などのエネルギーリソースを制御することで、発電所と同等の機能を提供するバーチャルパワープラント（ＶＰＰ）や、需要家側エネルギーリソースの制御により電力需要パターンを調整するデマンド・レスポンス（ＤＲ）などの社会実装が進展している。

ＥＶ普及を進める欧州は、こうした進んだ技術を活用してＥＶもエネルギーシステムに統合するなどのマネジメントをしていく方向にあり、日本も対応を急がねばＥＶの普及のみならず、革新的なエネルギーシステムの導入でも後れを取ることが懸念される。

ＥＶは蓄電池製造でCO_2を大量排出する？

「ＥＶは蓄電池製造の過程でCO_2を大量排出するので、環境性能はＨＥＶ（ハイブリット車）に劣るのではないか」という、まことしやかな話もある。

自動車のCO_2排出量を考えるには、蓄電池製造も含めた車両製造時の排出量、ガソリンや電気などエネルギー製造時の排出量、そして走行時の排出量を含めた「油田からタイヤを駆動するまで（ＷＴＷ：Well to Wheel）」という視点で全体の排出量を評価する必要がある。

ＷＴＷの排出量に関してはＩＥＡ（国際エネルギー機関）から、乗用車が一五万㎞走った際の車種別のCO_2排出量（二〇一八年）が公表されている。それによると蓄電池も含めた車両製造時の排出量は、EV：13tCO_2－eq、HEV：7tCO_2－eq、PHV：7tCO_2－eqとされており、たしかにEVの排出量は多い。

しかし、エネルギー製造時の排出量と走行時の排出量を合わせると、EV：28tCO_2－eq、HEV：28tCO_2－eq、PHV：24・5tCO_2－eqとなり、EVとHEVの差はなくなる。[13]最も排出量が少ないのはPHVとなるが、EVの電池容量は長距離走行を念頭にした八〇kWhで排出量が算出されており、蓄電池容量が半分の四〇kWhの場合はPHVとほぼ同等の排出量となることが報告されている。

また、発電時のCO_2排出量は、一八年の世界平均：518gCO_2－eq／kWhで算出されていることから、今後再エネの普及が拡大することを考えればEVのCO_2排出量はさらに少なくなることが見込まれる。

IEAは、二一年にEVによるCO_2削減は、フィンランド一国のエネルギー部門全体の排出量に相当する四〇〇〇万トンに達したことも報告しており、世界はますますEVによるCO_2削減効果に注目している。

V2Gにより再エネ普及を後押しするEV

WTWという視点以外でも、EVが再エネの普及を促進し、エネルギー部門のCO_2削減に貢献することが見込まれている。

世界では、今後も再エネの普及が進むと見られるが、再エネは天候によって発電が左右される変動電源である。そのため、再エネの普及には、電力系統をはじめとするエネルギーシステムを高度化し、ＶＰＰやＤＲなどを活用できる体制を構築して電力需給をコントロールする必要がある。そして、そのための重要なデバイスとなるのが蓄電池である。

日照や風の状況がよく、太陽光発電や風力発電が需要を上回る発電を行うと、電力系統へ流れる電力が供給過多となりパンクしてしまう。逆に日照や風況が悪く、発電量が落ちこんだ場合は電力の供給不足という事態が起きる。こうした過不足による不具合を防ぐために、電力が余剰となった際には蓄電し、逆に電力が不足する際には放電して不足を補う蓄電池が必要となる。

再エネ発電の需給コントロールを行う場合、定置式の大型蓄電池を電力系統内に設置するという方法も有効だが、大型蓄電池の導入には大きなコストがかかる点がネックとなる。そこでコストのかからない方法として、ＥＶを電力系統に接続することによって再エネの余剰電力をＥＶの蓄電池に充電し、必要なときにＥＶから放電して活用するＶ２Ｇ（Vehicle to Grid）というシステムの実用化がすでに始められている。

自動車の一日の稼働状況を調べると、走行状態にある時間はわずかで、およそ九割は停車状態にあることがわかる。そうであれば、充電設備に接続している停車中のＥＶの蓄電池を、電力系統用にもシェアして活用することは、コスト的にも有効な手段である。

ＥＶ普及の遅れている日本では、Ｖ２Ｇはまだ先の話と考えられがちだが、すでに二〇一六年に、日産自動車とイタリアの大手電力会社のエネル社（Ｅｎｅｌ）、豊田通商の三社が資本参加する米国の電力事業ベンチャーのヌービーコーポレーション（Nuvve Corporation）が協力して、デンマークで世界初となるＶ２Ｇの商業運転を開始している。また、一八年三月には日産自動車が、ドイツの大手電力会社Ｅ．ＯＮと戦略的パートナーシップを結んでＶ２Ｇを推進していくことを公表している。

再生エネルギーの余剰電力は、もともと使われることなくそのまま捨てられていたもので、その価格は実質タダと言うことができる。したがって自動車メーカーの狙いは、Ｖ２ＧによりＥＶをエネルギーシステムの一部とすることで、実質タダの余剰電力をエネルギーとして活用することにある。[14] 二一年三月には欧州系統運用者ネットワーク[15]（ＥＮＴＳＯ-Ｅ）が、ＥＶの普及を見据えたスマート充電やＶ２Ｇを促進する方針を発表するなど、Ｖ２Ｇ導入の動きは進んでいる。

一方、日本はと見れば、各電力管内で、電力供給が需要を超えそうな場合には太陽光や風力などの発電を止める「出力抑制」が頻発している。しかし、この動きは再エネ電力をむざむざ捨てることであり、ＣＯ$_2$排出削減とエネルギー自給率向上の両面にとってマイナスと言える。

したがって日本でもＥＶの普及を進め、積極的にＶ２Ｇを導入するよう方針転換を図るべきであり、そうすることによって再エネ普及を促進し、エネルギー部門のＣＯ$_2$削減に貢献することが期待できるのである。また、再エネ普及による電力の脱炭素化が進むことで、さらにＥＶのＣＯ$_2$排出量を減らすこともできる。

ＥＶのＣＯ$_2$排出量を考える際には、ＷＴＷだけではなく、こうしたエネルギーと運輸の部門を超えた連携によるＣＯ$_2$排出削減効果も評価していく必要があると考える。

Ｖ２Ｇによる再エネ普及のポテンシャルについては、科学技術振興機構低炭素戦略センターが二〇一八年十二月に開催したシンポジウムにて、日本の乗用車保有台数（一七年一一月時点の保有台数七六三四万台を想定）の約一〇％がＥＶになれば、再エネ比率一〇〇％にした際の需給調整が可能であるという自動車メーカーの試算も公表されている。[16]

また、二二年三月に発生した東京電力管内の電力逼迫状況の場合は、揚水発電の発電可能量約一億ｋＷｈを活用して危機を乗り切っているが、[17]こうした場合にもＥＶが普及することで揚水発電を一桁上回るほどの大規模ストレージとして活用できる可能性があると、一般送配電事業者の関係者は見解を示している。[18]Ｖ２Ｇのポテンシャルは、大いに期待できるものと言うことができる。

V2Gとサーキュラー・エコノミーを推進する欧州の自動車メーカー

V2Gへの期待が高まる一方、EVの普及拡大が進むことによって、その製造に必要な資源が枯渇するという懸念がある。特に蓄電池製造には、供給の不安定化が心配されるコバルトなどのレアメタルも必要とされる。

EUでは、気候変動問題への対処に必要なソーラーパネル、風力タービン、EVなどの製造に欠かせない鉱物資源の需要は、二〇三〇年までに二〇倍に増えると見込んでおり[19]、その対応としてサーキュラー・エコノミー（Circular Economy）構築を進めている。

サーキュラー・エコノミーは、EUが欧州グリーンディールの一環として推進している資源戦略である。従来の経済モデルといえば、新たに採掘した資源（バージン資源）で製品を製造し、使い終わったものは廃棄するだけというものであった。

これに対し、サーキュラー・エコノミーは、使い終わった製品を廃棄処分することなく再び資源として再生（リサイクルやリユース等）して利用するというもの。こうして資源を循環させることで、バージン資源への依存を減らし、持続可能なものとしていくモデルである。

さらには、リサイクル資源を生み出すことで、資源の海外依存を解消すると同時に、新たな資源循環ビジネスを構築する経済戦略にもなっている。サーキュラー・エコノミーによる資源循環は、ＥＵのＧＤＰを七％増加させるなど、国際競争力を向上させることも見込まれている。[20]

サーキュラー・エコノミーの推進を具体化していくために、ＥＵ理事会（閣僚理事会）と欧州議会は二二年一二月九日、バッテリー指令における電池および廃棄電池の規則を大幅に改正することで暫定的な合意に達したと発表。この改正では、ＥＶ蓄電池を含めたＥＵ域内で販売されるすべてのバッテリーを対象に、蓄電池製造におけるリサイクル資源の最低使用割合などが定められている。

ＥＶ蓄電池のリサイクル資源の使用率については、コバルト一六％、鉛八五％、リチウム・ニッケル各六％の使用率が設定されており、[21]この規則改正が施行されれば、ＥＶ蓄電池はリサイクル資源なくして製造ができなくなる。これは、リサイクル資源がバージン資源よりも重視されることを意味し、自国でリサイクル資源を製造・調達する必要性がきわめて高くなってきていることを示している。

こうした状況に対して、欧州の自動車メーカーはいち早く対応に動いている。例えば、フランスのルノーは、仏フラン工場の敷地に欧州初となるモビリティー専用のサーキュラー・エコノミー工場「リ・ファクトリー（Re-FACTORY）」を設立することを二〇年一一月に公表している。[22]

［図4-1］ルノーのV2G、サーキュラー・エコノミーの取り組み概観

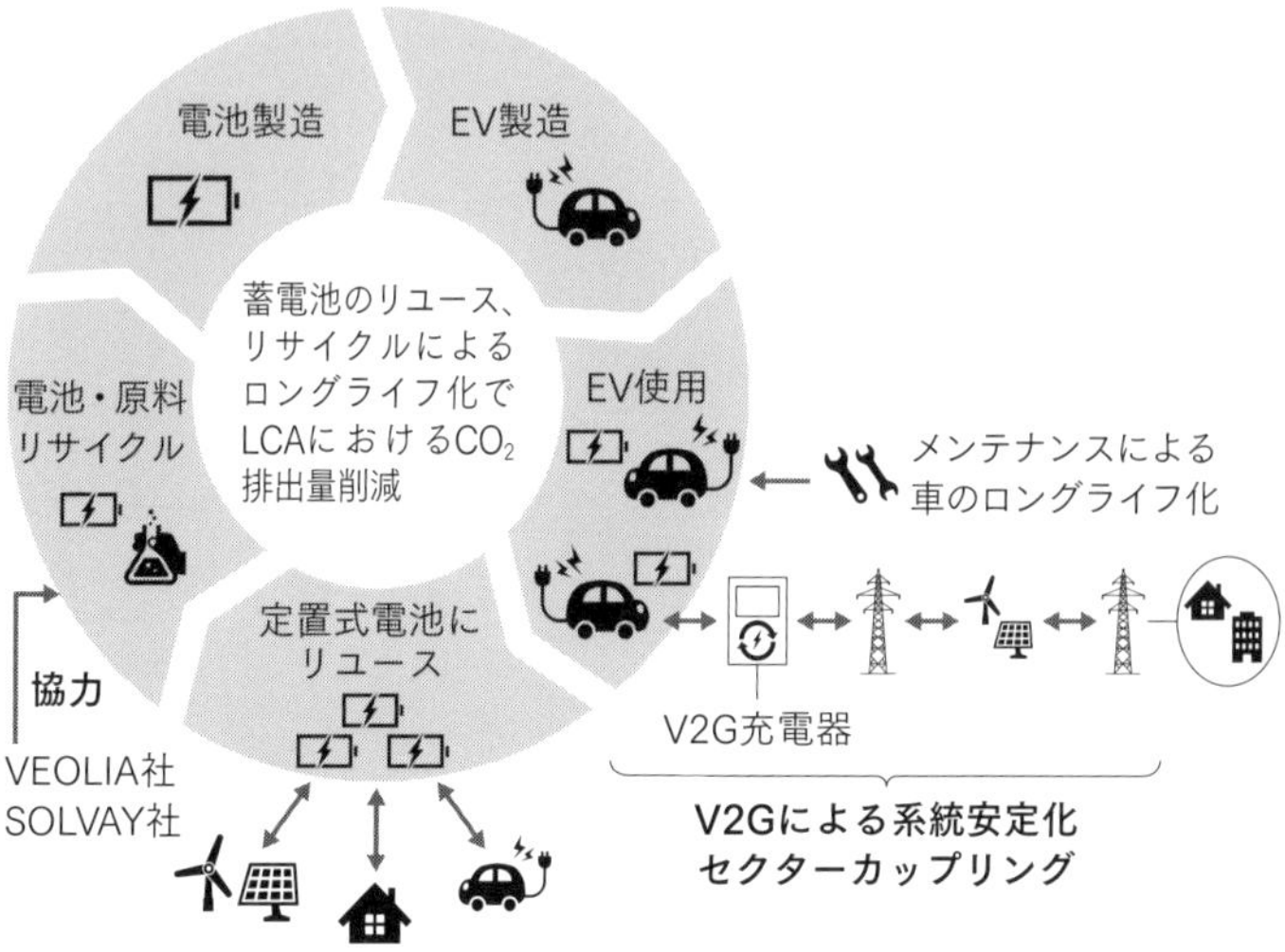

（出所）筆者作成

この「リ・ファクトリー」では、EV蓄電池の資源循環モデルを構築することを目的に、①販売したEVの蓄電池をメンテナンスしV2Gを促進する⇓②車載用としての寿命を終えたEV蓄電池を回収し、電力系統用やEV充電器用などの定置式蓄電池としてリユースする⇓③寿命となった定置式蓄電池を回収し、鉱物資源を抽出してリサイクルする⇓④リサイクルした鉱物資源（リサイクル資源）でEV蓄電池を再び製造する、という一連の資源循環モデルの構築に取り組んでいる（**図4－1**）。

モデルの構築にあたってルノー社は、欧州の大手化学メーカーのSOLVAY社、そして廃棄物の回収⇓再資源化⇓リサイクル資源の販売にわたる一連の資源循環ビジネスを、年間売り上げ約三兆円規模で手掛けるフランスの大手リサイクル会社ＶＥＯＬＩＡ社と協力して実施している。

ルノーは、単にＥＶを販売するだけでなく、Ｖ２Ｇを促進することで再エネの普及に貢献しながら実質コストゼロの再エネ余剰電力を有効活用し、使用済みＥＶ蓄電池は車以外の用途にリユースすることで最終的にはコバルトなどの電池材をリサイクルして自社の製造に役立てる、というCO_2削減と資源循環の両面に取り組んでいるのである。

一方、日本はサーキュラー・エコノミー構築の面でも遅れており、国内のリサイクル事業者の年間売上も数百億円程度と小規模で、とてもＶＥＯＬＩＡ社のようにリサイクル資源を製造できる状況にない。サーキュラー・エコノミーは、すでに欧州が主導するかたちで国際標準化機構（ＩＳＯ）が標準化の議論を進めている。国際標準が形成されれば、日本も欧州基準のリサイクル資源の使用率などに従わざるをえない。したがって、早急かつ前向きな対処が必要である。

3 ＥＶ普及の遅れはセクターカップリングの視点で取り戻す

欧米では実装進むV2G

カーボンニュートラルへの対応と、ウクライナ危機による化石燃料調達の不安定化に対処するには、運輸部門の脱炭素化と脱石油化、すなわちモビリティーの電動化が欠かせない。とりわけ、CO_2排出削減と石油依存度の低減に効果の高いＥＶの普及は必須である。

ＥＶ普及で先行する欧米では、すでにＶ２Ｇが社会常識となる段階を迎えており、Ｖ２Ｇにより運輸部門とエネルギー部門という異なる分野をつないでＥＶと再エネ双方の普及拡大を実現するという、部門を超えたセクターカップリング（産業分野連携）の視点で実装に取り組んでいる。さらにサーキュラー・エコノミーの構築にも積極的で、使用済みＥＶ蓄電池をリユースして電力系統やＥＶ充電器用などの定置式蓄電池に活用するなど、ＥＶ蓄電池を異なる用途で使用するセクターカップリングも推進している。

日本でもこれまで、政府の審議会などで運輸部門とエネルギー部門のセクターカップリングだけでなく、エネルギー部門と燃料部門、電力部門と熱供給部門などのセクターカップリングに関する議論はされてきた。しかし、実証事業の段階にとどまっているのが現状である。

Ｖ２Ｇについても日本は、二〇一一年度から一六年度の六年間、世界に先駆けて米国ハワイ州のマウイ島で実際の電力系統を使った実証事業を行い、その有効性を確認するなどさまざまな実証事業が展開されたが、これもいまだ社会実装事業としての普及には至っていない。

運輸部門とエネルギー部門のセクターカップリングが進まないのは、そもそもＥＶの普及が遅れていることが大きな原因の一つであるが、もはや根拠に乏しい都市伝説的な話にとらわれて足踏みしている時間はない。

ＥＶとＶ２Ｇの普及にセクターカップリングの視点を

現在日本が直面する異次元のエネルギーショックに対処するモビリティー政策に、ＥＶのみならずＰＨＶ、ＨＥＶ、ＦＣＶを含めた電動化車両の全方位開発を進める戦略を選択するとしても、あまりにも諸外国に水をあけられてしまったＥＶ普及の遅れは取り戻さなければならない。

そのためには、単なる移動手段としての自動車という従来の認識を捨て、運輸部門とエネルギー部門をつなぐセクターカップリングの視点を持つことが重要なのである。そのうえで、ＥＶをＶ２Ｇで電力系統に統合するための法制度の整備、ＥＶユーザーと系統運用者のインセンティブ創出などに取り組むことも必要となる。

ＥＶ普及とＶ２Ｇの社会実装によって再エネの普及が進めば、再エネ電力で水を電気分解して製造するグリーン水素の普及をも後押しすることになり、水素を燃料にするＦＣＶの普及にも貢献すると思われる。すでに英国では、容量市場でのＶ２Ｇの活用についての議論も始まっている[23]ことから、セクターカップリングの視点で早急にＥＶ普及の遅れを取り戻すことが必要なのである。

注

1 IEA HP "Global CO_2 emissions by sector, 2019"
https://www.iea.org/data-and-statistics/charts/global-co2-emissions-by-sector-2019

2 環境省・国立環境研究所「２０２０年度温室効果ガス排出量（確報値）概要」２０２２年４月15日
https://www.env.go.jp/content/900518857.pdf

3 経済産業省「戦略物資・エネルギーサプライチェーン対策本部（第１回）――ウクライナ情勢を踏まえた緊急対策――」２０２２年３月31日
https://www.meti.go.jp/press/2021/03/20220331013/20220331013-1.pdf

4 EC "REPowerEU: Joint European Action for more affordable, secure and sustainable energy" March 8, 2022
https://eur-lex.europa.eu/resource.html?uri=cellar:71767319-9f0a-11ec-83e1-01aa75ed71a1.0001.02/

DOC_1&format=PDF
5 経済産業省『令和3年度エネルギーに関する年次報告（エネルギー白書2022）』2022年6月7日
6 Council of the EU Press release “First ‘Fit for 55’ proposal agreed: the EU strengthens targets for CO_2 emissions for new cars and vans” 27 October 2022
https://www.consilium.europa.eu/en/press/press-releases/2022/10/27/first-fit-for-55- proposal-agreed-the-eu-strengthens-targets-for-co2-emissions-for-new-cars-and-vans/
7 経済産業省「蓄電池産業の現状と課題について」2021年11月18日
8 経済産業省「蓄電池産業戦略（案）」2022年8月31日
9 日本取引所グループウェブサイト、マーケットニュース「改訂コーポレートガバナンス・コードの公表」2021年6月11日
https://www.jpx.co.jp/news/1020/20210611-01.html
10 経産省「平成22年度石油産業体制等調査研究（次世代SSに関する市場動向等調査）」平成23年2月
11 国土交通省 都市局「駐車場等への充電施設の設置に関するガイドライン」2012年6月
12 Octopus Energy HP　https://octopus.energy/go/
13 IEA “Global Electric Vehicle Outlook 2022” May 2022
JAMA HP「クルマのライフサイクルCO²（つくる～つかう）」
https://www.jama.or.jp/operation/ecology/carbon_neutral_data/pdf/CNData_10.pdf
14 欧州日産 Website “The acceleration of electrification: Nissan powers ahead with innovative electric ecosystem in Europe” 2018/03/06

https://europe.nissannews.com/en-GB/search?query=V2G&selectedTabId=releases

15 ENTSO-E “Electric Vehicle Integration into Power Grids” 31 March 2021

16 科学技術振興機構低炭素社会戦略センターシンポジウム「〝明るく豊かな低炭素社会〟に向かう２０５０年の姿」講演資料「２０５０年、低炭素化の実現と Society 5.0 〜自動車会社の視点からの考察〜」日産自動車技術企画部　朝日弘美、２０１８年12月12日

17 経済産業省「２０２２年３月の東日本における電力需給ひっ迫に係る検証について」２０２２年５月27日

18 岡本浩『グリッドで理解する電力システム』日本電力協会新聞部、２０２０年12月９日

19 EC “EC, Report on Critical Raw Materials in the Circular Economy, 2018” 2018-11-05

20 Didier Bourguignon “Closing the loop New circular economy package” European Parliamentary Research Service, January 2016

21 Council of the EU Press release “Council and Parliament strike provisional deal to create a sustainable life cycle for batteries” 9 December 2022

22 Renault Groupe “Groupe Renault creates the first european factory dedicated to the circular economy of mobility in Flins” 25 November 2020
https://media.renaultgroup.com/groupe-renault-creates-the-first-european-factory-dedicated-to-the-circular-economy-of-mobility-in-flins/

23 GOV.UK Department for Business, Energy & Industrial Strategy “Government response on new generating technologies for the future Capacity Market” December 2021

第5章

生き残りのカギは「徹底した省エネ」

田辺新一

1　ウクライナ危機の影響はエネルギー自給率から考えるべき

エネルギー自給率が一一%の日本

日本のエネルギー自給率は、実は一一%しかない、と説明すると驚かれることが多い。ロシアがウクライナに侵攻した二〇二二年二月を境に、これまでにも増してエネルギー安全保障が脅かされている。**表5―1**に示すように、日本の二〇年度のエネルギー自給率は一一%で、カナダ一七九%、米国一〇六%、英国七五%、フランス五五%、ドイツ三五%、イタリア二五%と、他のG7諸国と比較してもきわめて低い状況にある。対ロシアとしてG7が結束することは重要ではあるが、自給率の高い国と同じ行動を取っていると、日本は早晩行き詰まってしまう状態にある。二一年度には自給率は一三%となったが、依然低いままである。

ＩＥＡ（国際エネルギー機関）による二〇三五年のエネルギー需要予測によると、中国は日本の約九倍、インドは四倍、東南アジアは二倍のエネルギーを必要とする、とされている。これらの国々が二〇三五年までに、再生可能エネルギーのみで必要となるエネルギーの大半を賄えるとは考えられず、依然として多くの化石エネルギーが必要となることだろう。したがって、

[表5-1] G7各国の一次エネルギー自給率とロシアへの依存度

- ドイツ、イタリアのロシアに対するエネルギー依存度が高く、**ロシアへの依存度低減の影響は甚大**
- 日本は、ロシアに対するエネルギー依存度は相対的に低いものの、**海外へのエネルギー依存度が9割（自給率11%）となっている状況**を踏まえると、**ロシアからのエネルギーが途絶えることの影響はドイツ、イタリア同様甚大**

国名	一次エネルギー自給率（2020年）	ロシアへの依存度（輸入量におけるロシアの割合）（2020年）※日本の数値は財務省貿易統計2021年		
		石油	天然ガス	石炭
日本	11%（石油：0% ガス：3% 石炭0%）	4%（シェア5位）	9%（シェア5位）	11%（シェア3位）
イタリア	25%（石油：13% ガス：6% 石炭：0%）	11%（シェア4位）	31%（シェア1位）	56%（シェア1位）
ドイツ	35%（石油：3% ガス：5% 石炭：54%）	34%（シェア1位）	43%（シェア1位）	48%（シェア1位）
フランス	55%（石油：1% ガス：0% 石炭：5%）	0%	27%（シェア2位）	29%（シェア2位）
英国	75%（石油：101% ガス：53% 石炭20%）	11%（シェア3位）	5%（シェア4位）	36%（シェア1位）
米国	106%（石油：103% ガス：110% 石炭：115%）	1%	0%	0%
カナダ	179%（石油：276% ガス：13% 石炭：232%）	0%	0%	0%

（出所）World Energy Balances 2020（自給率）、BP統計、EIA、Oil Information、Cedigaz統計、Coal Information（依存度）、貿易統計（日本）
資源エネルギー庁　2022/3/25 https://www.meti.go.jp/shingikai/enecho/denryoku_gas/denryoku_gas/046.html

これらの国がG7と同じ行動を取るとも思えない。

また天然ガスは、石炭からの燃料転換による二酸化炭素（CO_2）削減効果が期待されているが、ウクライナ侵攻によって供給が逼迫し、各国が大きな影響を受けている。日本も、天然ガスのスポット契約の価格が二〇年三月ころに最安値となった際に、エコノミストのなかには長期契約とスポット契約の配分を見直すべきだという主張もあった。しかし、ロシアの侵攻が始まった二二年春以降、欧州天然ガス価格の高騰が続き、世界のスポットLNG価格も二二年の数倍に上昇し、高止まったままでいる。

そのようななか、ロシアがサハリン2のロシア企業への移管を命じたことに加えて、二二年末には日本の損保各社がロシア海域での戦争による船舶の沈没や接収などを補償する保険の提供を、二三年一月から停止すると発表した。これは、英国の再保険会社がロシアによる侵略リスクの引き受けを拒否したことで、日本も保険提供ができなくなったためである。この事態に対しては政府が動いて、何とか最悪の状況は回避できたが、保障できるLNG（液化天然ガス）輸送の船舶数は大幅に少なくなりそうである。

こうしたエネルギー危機に抜本的に対応するためにも、日本は徹底した省エネや再エネの導入など、さまざまな手段を総動員する必要がある。現在、再エネか原子力か、というような二者択一の議論が行われているが、そうした近視眼的議論に時間を費やしている余裕はすでになく、総合的なエネルギーの安全保障と脱炭素に向けた戦略を連動して考える必要がある。

ドイツの動向に注目

日本のエネルギー事情について、製造業が強く国土面積も似ているドイツとの比較を示してみる。国土面積は、日本が三八万㎢、ドイツが三六万㎢とほぼ同じであるが、平地面積は日本が一三万㎢に対しドイツは二五万㎢と、日本は平地面積が少ない。ちなみに、人口は日本が一億二五八〇万人に対してドイツは八三二四万人である。

これを踏まえて両国を比較すると、コロナ前のエネルギー起源の一人当たりCO_2排出量は、日本が八・四tCO_2、ドイツは七・八tCO_2と、ドイツが多少低いが大きくは変わらない。

一九年の太陽光発電設備容量は日本が五六GW、ドイツは四五GWで、太陽光発電量は日本が六九〇億kWh、ドイツが四六二億kWhと、設備容量、発電量ともに日本のほうが多い。わが国の平地面積当たりの太陽光発電設備容量は世界一位、ドイツの二倍以上となっている。しかし、総容量が多いわけではなく、少ない平地面積での設備率であることを忘れてはならない。二〇年には設備容量、発電量ともに増加しているが、状況は変わらない。

一方で、風力発電は日本が七七億kWh、ドイツは一二六〇億kWhであり、ドイツに圧倒的な差をつけられている。その原因として、日本は遠浅の海が少ない、台風などの自然災害が多い、環境アセスメントが厳しいなど、さまざまな要因が挙げられているが、風力発電はエネルギーの安全保障面からも欠かせない再エネの一つであり、風車設置にリーディングタイムが必要になることを考えても、速やかに普及拡大に取り組むべきである。

ドイツのロシアへの一次エネルギー依存度は、二〇年に石油三四％、天然ガス四三％、石炭四八％であり、特に天然ガスは五〇％を超えていた時期もある。石炭のロシアからの輸入は禁止する方針だが、ロシアに頼らず低炭素から脱炭素へ移行するシナリオは困難を極めるだろう。実際ドイツは、ロシア以外からの液化天然ガス（ＬＮＧ）の調達を急ピッチで進めているが、製造業に関しては非常に厳しい状態が生じている。日本のものづくりが、輸入に頼る化石エネルギーでどこまで生き延びていけるのか、同様の状況にあるドイツの動向は注目に値する。

2 供給側のエネルギー転換のみならず、需要構造の大転換が必要

オイルショックを契機に定められた省エネ法

通常国会で審議されていた新しい省エネ法が、二〇二二年五月一三日に成立した。従来のものと略称は変わらないが、正式法律名は「エネルギーの使用の合理化等に関する法律」から

「エネルギーの使用の合理化及び非化石エネルギーへの転換等に関する法律」に変わり、カーボンニュートラルに向けたエネルギー政策の転換を盛り込んだものになった。

従来の省エネ法は、二度のオイルショックを契機に一九七九年に制定された。そのため、燃料、燃料起源の熱、電気、の三つをエネルギーとして、その合理的な使用を求めていた。年度間のエネルギー使用量が原油換算で一五〇〇kℓ以上の事業者は、エネルギーの使用状況等を定期的に報告する義務を負うとしている。

年間一五〇〇kℓとは、オフィスビルであれば三万㎡程度、コンビニ三〇〜四〇店舗程度、ホテルであれば客室数三〇〇〜四〇〇規模程度が目安となり、対象事業者は全国で約一万二〇〇〇件になる。省エネに対する措置への取り組み状況、エネルギー消費原単位の推移、ベンチマーク指標の状況を報告するが、いずれかの取り組みが著しく不十分であれば、その程度によって、国による指導や立入検査、指示、公表、命令、罰則が課される。

ベンチマーク制度は産業分野だけではなく、近年コンビニ、ホテル、百貨店、食品スーパー、ショッピングセンター、貸事務所、大学、パチンコホール、国家公務へと拡大しており、産業・業務部門の七割をカバーするようになった。五年間平均での原単位を年一％以上低減する努力目標が示され、ベンチマーク目標では事業者クラス分け評価が行われている。

また、自動車、家電製品などの特定エネルギー消費機器等の製造事業者等に対して、機器のエネルギー消費効率の目標を示して達成を求めるトップランナー制度も設けられ、エアコン、冷蔵庫、照明などに加えて窓などの建材も対象となっている。さらに、電力・都市ガス・LPガスなどの小売事業者を対象に、一般消費者向けの省エネ情報提供やサービスの充実度を評価する省エネコミュニケーションランキング制度が二二年度から開始された。省エネ法は、わが国の省エネルギー化に大きく貢献してきた。一五年に住宅・建築物に関しては建築物省エネ法「建築物のエネルギー消費性能の向上に関する法律」として分離されたが、これに関しては後述する。

事業者は非化石エネルギーへの転換が急務

カーボンニュートラル実現のためには、省エネ法の大転換が必要になる。従来の省エネ法では、燃料、燃料起源の熱、電気の三つに該当しないエネルギー、つまり水素、アンモニア、バイオマス燃料、地熱発電、太陽熱、風力発電、太陽光発電、廃棄物発電などの非化石エネルギーは対象となっていない。カーボンニュートラルを実現するためには、課題は残るが原子力とともに、こうした非化石エネルギーの割合を増していく必要がある。

そこで今回の改正では、非化石エネルギーを含むすべてのエネルギーの使用の合理化を求める枠組みに見直された。同時に、系統電気をすべて火力発電で計るという計算法も転換する必要があった。欧米はすでに変更している。

さて、今回の省エネ法改正では、次の三点が大きく見直された。

①エネルギー使用合理化の対象の拡大（エネルギーの定義の見直し）

②非化石エネルギーへの転換に関する措置（新設）

③電気需要の最適化に関する措置（電気需要平準化の見直し）

改正省エネ法は、二〇二三年四月一日に施行され、七月からは新制度にもとづく中長期計画書提出が予定されている。①の「エネルギー使用合理化の対象の拡大（エネルギーの定義の見直し）」に関しては、電気と熱の二つの論点がある。

電気に関しては、これまで一次エネルギー換算係数が九・七六（ＭＪ／ｋＷｈ）であった。この値は〇三年の火力発電の発電効率実績値であり、これまで定数のように取り扱われてきたが、火力発電そのものの効率が向上しているうえ、再生可能エネルギーの導入の増加によって原単位も改善されている。電気の一次エネルギー換算係数は、一八～二〇年度の直近三年間で全電源平均係数が八・六四（ＭＪ／ｋＷｈ）となる。

米国では直近数年の全電源平均値を採用しているが、英国などのように将来値を政策的に利用している国もある。これは、電化を加速するための方策である。ちなみに、わが国の電気自動車の電費評価においては、すでにこの方法が用いられている。

もちろん、電力の一次エネルギー換算係数の変更を、建築物省エネ法など計画値での判断に

［図5-1］改正省エネ法とエネルギー

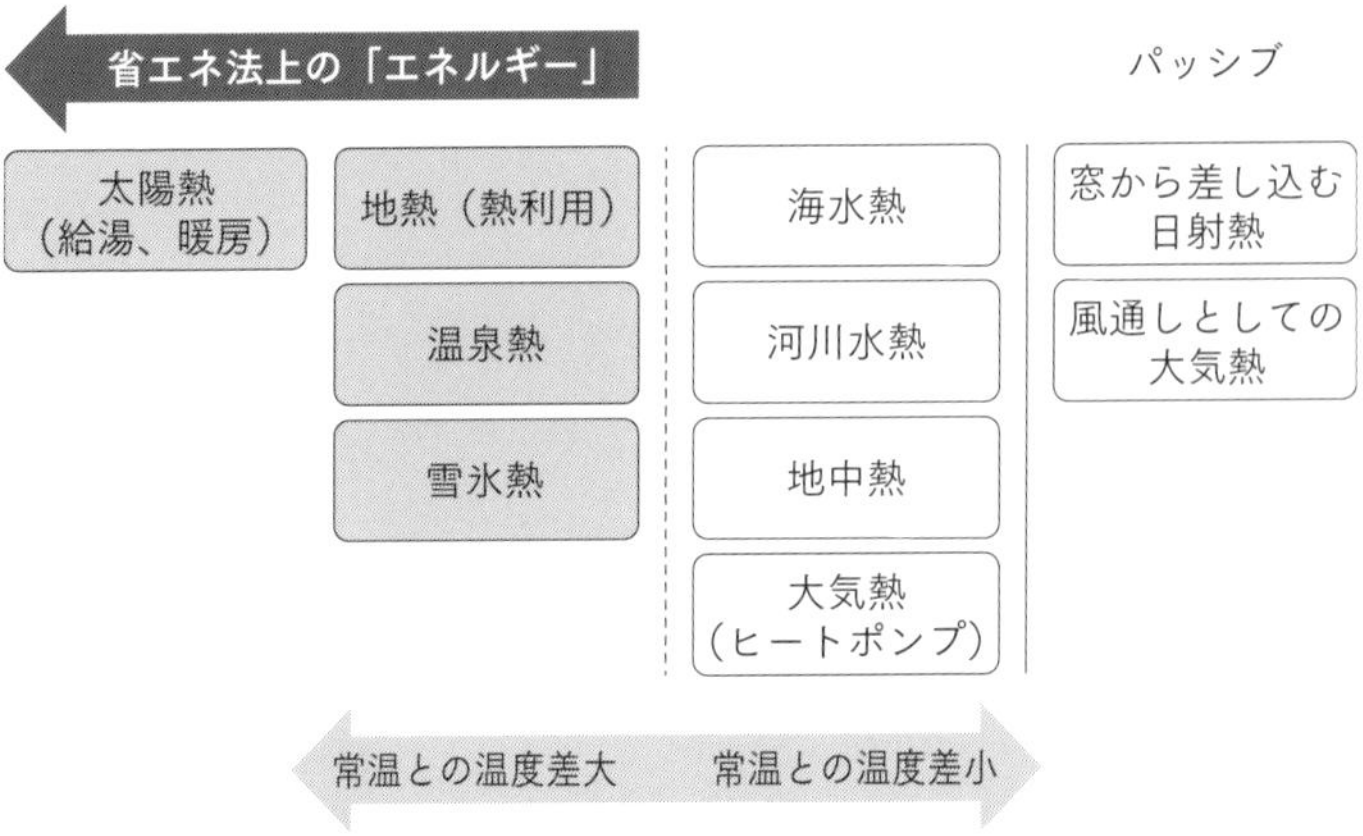

（注）今後、政令案の法制的審査を経て変更される可能性がある
（出所）第2回工場等判断基準WG（資源エネルギー庁）2022/10/18から引用

いかに反映するかに関しての検討も必要となる。一方で、二〇二五年度から実施される住宅を含むすべての建築物の省エネ適合義務化を混乱させない配慮も必要であろう。

熱に関しては、自然熱をどのように類型化するかなど、難しい議論が残る（図5－1）。太陽熱をどのように推計するか、地熱・温泉熱・雪氷熱を省エネ法の定期報告でどのように考えるのか、またヒートポンプの熱源として利用されている海水熱・河川水熱・地中熱・大気熱（ヒートポンプ）を報告に含めるかどうか、などの問題があるからだ。さらには住宅・建築におけるパッシブ利用のような自然熱の利用の問題もある。

欧州ではヒートポンプの普及が日本ほど進んでいないため、エアコンによる大気熱利用なども再生可能熱にカウントされている。しかし、日本でこれを報告可能にカウントしてしまうと、安易に非化石エネルギーの割合が向上してしまう。したがって、定期報告における自然熱にそのまま含むことは難しいだろう。しかしながら、ヒートポンプ機器のさらなる普及には需要があるため、一定の基準を設けて任意で報告ができるようにすることも考えておく必要がある。

②の「非化石エネルギーへの転換」に関しては、まずはエネルギー消費量の多い鉄鋼業、化学工業、セメント製造業、製紙業、自動車製造業の五業種に非化石目標が設定された。業種によって使用するエネルギーの種類が異なるため、五業種一律の目標を定めることは妥当性を欠くためである。エネルギー全体に占める非化石率、非化石電気の使用割合、電気以外に非化石エネルギーの使用割合を評価するなどを考慮して、目標水準を決める必要がある。今後、対象業種を拡張していく際にも、柔軟な考慮のうえ目標を決めることが大切である。

五業種以外の目標は制度開始年度には設定されないが、中長期計画書の作成は二三年度からすべての特定事業者等に求められる。まずは、事業全体で使用する電気に占める非化石電気の比率を報告すればよいということになっている。

二〇年度の省エネ法・定期報告書のエネルギー使用量が、総合資源エネルギー統計で示されている全エネルギーのどの程度をカバーしているかというと、産業部門の約七九%、業務他部門の約六一%となっている。事業者は二つの報告を行うことになるため、非化石エネルギーへの転換措置が、エネルギー使用の合理化、すなわちエネルギー消費原単位変化による影響を少なくするものである必要がある。非化石エネルギーだからといって、省エネをしなくてよいわけではない。今回の非化石エネルギーへの転換に関する報告を求めることは、脱炭素に向けて大きな効果を上げる。

電気需要の「平準化」から「最適化」へ

③の「電気の需要の最適化」であるが、太陽光や風力発電などの変動型再生エネルギーが大量に導入されてくると、時間によってエネルギーの価値が異なるようになるため、電気需要の最適化が必要になる。ＤＲ（デマンド・レスポンス）を行った実績については、一つにはＤＲの実施回数をまずは評価するなどが考えられる。

さらに、家庭用蓄電池などの低圧リソースがポテンシャルを最大限に発揮し、統制機能として活用されるためにはどのような市場整備が必要とされるのか、そして再生可能エネルギーが地域に導入され蓄電池やＥＶも活用されていくなかで、配電分野でもＤＲを行っていくことが系統への過大な負担を回避するうえで必要ではないか、さらには新しい料金制度のなかで、送配電事業者がＤＲを活用していくために求められる技術にはどのようなものあるか、などが現在議論されている。併せて今後の省エネ政策としては、データ活用の強化、産業競争力の強化、中小企業への取り組み強化、そして家庭に対する取り組み強化が検討されている。

国際財務報告基準（International Financial Reporting Standards：ＩＦＲＳ）が策定する国際的なサステナビリティ開示基準案（ＩＳＳＢ）においては、エネルギー消費量・内訳を指標として求める動きがある。このようなときに定期報告書内容の開示を行うことは、企業にとって価値を高めることにつながるだろう。こうしたサステナブル情報の開示はますます求められるようになる。

一方で、かつてＮＰＯが定期報告の情報公開請求を行った結果、一部の情報に関しては不開示となった事実があり、これに対する訴訟では、最高裁判所が請求を棄却するという判例が出された。開示する情報には企業経営に直結するデータもあり、一定の配慮の下での開示が必要になっている。

3　実は安い日本のガソリン価格

エネルギー小売事業者にも省エネ対策への義務を

筆者は米国でのガソリン小売価格を調べるため、カリフォルニア大学バークレー校に留学している学生に、一つのガソリンスタンドの価格表示看板を定期的に撮影して送ってもらっている。

それによると、二〇二二年一一月一六日の無鉛のレギュラーガソリンは、一ガロン六・五九ドルであった。当時の為替レートは一ドル約一三九円。一ガロンは三・七九リットルなので、一リットル約二四二円の計算となる。一二月四日には少し値が下がって一ガロン五・五九ドルとなり、この時期少し円高に振れたため、当日のレート一三五円で計算しても一リットル約一九九円になる。

一方、日本での価格を見ると、資源エネルギー庁石油製品価格調査による一一月二八日時点の国内平均価格は、一リットル一六七・六円で、産油国である米国より日本のほうがガソリンは安い、という不思議な状況になっている。ロシアによるウクライナ侵攻前、米国のガソリン価格は一ガロン当たり二〜三ドル程度であったから、六ドル台などもってのほかという水準と思われる。

カリフォルニアでは電気自動車が急増しているという。日本でも、低所得層には補助も必要だが、基本的には脱炭素社会への移行を促す政策を行うべきと考える。ガソリン価格の高騰は、ＥＶシフトへのトリガーになる可能性がある。

日本のエネルギー自給率は一一％しかないため、将来に向けたエネルギー政策を総動員すべきであり、脱炭素社会に向けては、需要家と直接接点を持つエネルギー小売事業者の果たすべき役割は拡大している。例えば米国には、需要家への省エネプログラムの提供などにより、エネルギー供給事業者に省エネ義務目標の達成を求めるＥＥＲＳ（Energy Efficiency Resource Standard）という規制がある。

これまでエネルギー供給事業者は、世界各国とも販売量を増やせば利益も増える構造のなかにいた。しかし、エネルギーの世界的な需給逼迫が起きている今、このビジネスモデルは崩れつつある。これを補助金で支えて維持しようとするのではなく、事業者が小売価格を上げる条件として需要家に一定量の省エネ対策を提供することを義務づけるような手法を、日本でも検討すべきだろう。

急がれる建築部門の省エネ対策

欧州各国では、ヒートポンプ導入や省エネ住宅リフォームなどへの支援を、大幅に拡大している。ドイツは二〇二二年七月、気候変動基金への追加拠出を閣議決定した。二〇二三〜二六年の四年間で一七七五億ユーロを予定しているが、リノベーション支援、ヒートポンプ導入支援等、建物エネルギーの効率化に、同期間で五六二億ユーロを充てる予定である。二二年五月に公表された「エネルギー効率化の作業計画」では、二〇二四年までに新たに設置されるヒートポンプの数を、年間五〇万台以上に増やす目標を提示している。

米国エネルギー効率経済評議会（ＡＣＥＥＥ：American Council for an Energy-Efficient Economy）による二二年の「国際エネルギー効率スコアカード」では、日本は総合ランクで二五カ国中七位となっている。その内訳は、産業部門は一位、国の努力が三位、運輸部門は九位となっているのに対して建築部門は一六位となっている。部門による差が大きく、進捗が遅れているとされるのが建築部門である。

建築物に対する省エネ法が、通常国会で二二年六月に「脱炭素社会の実現に資するための建築物のエネルギー消費性能の向上に関する法律等の一部を改正する法律」として可決成立し、同年同月に公布された。これによって、戸建住宅を含むすべての建築物の省エネが義務化される。

4 消費ベースで考える日本の温室効果ガス削減

住宅、家庭部門の削減も欠かせない

カーボンニュートラルを、単なる環境対策問題ととらえてはならない。産業・社会構造に変

革を起こす行動と考えるべきである。

日本の温室効果ガスの排出割合は、二酸化炭素（CO_2）でいえば、エネルギー起源が八五％で非エネルギー起源が六％である。非エネルギー起源六％に占める主要なものに、セメントやメタン、一酸化二窒素があり、代替フロン等が五％ある。代替フロンは冷暖房のエアコンや冷凍に使用されるガスである。

学生にカーボンニュートラル実現のために何をすればよいかと聞くと、マスコミ報道やコマーシャルの影響からか、ほとんどの者が自動車対策だと答える。たしかに、CO_2排出量（二〇一九年度）を見てみると、運輸部門が一八・六％であるうち、そのほとんどの一六％が自動車である。

一方、業務その他部門が一七・四％、家庭部門が一四・四％となっていて、こちらも放置しておける数値とは言えない。業務部門のすべてが建築ではないが、産業部門の工場建屋などを入れると日本全体の三分の一程度の排出量となる。さらに建設やそれに伴って必要となる材料の生産なども含めれば約四割にも上る。住宅や建築部門は、カーボンニュートラル達成には自動車に劣らず重要な分野であると認識する必要がある。

その通過点として二〇三〇年度の温室効果ガスを、一三年度比で四六％削減を目指すと日本は国際的に公表した。目標達成のために、家庭部門は六六％の削減が求められている。

それでは、どのようにして実現するのか。CO_2排出量を減らすには、エネルギー消費自体を減らすことに加えて、そのエネルギー当たりのCO_2排出原単位を小さくすることにカギがある。

理解しやすいように単純化して、電気で考えてみる。一kWの機器を一時間動かすと一kWhになる。機器効率を改善したり、使う時間を短くしたりするなどの省エネを試みた結果、例えば〇・七kWhのエネルギー消費量になったとすれば、これが省エネとなる。一方、一kWhのエネルギーを石炭火力発電でつくるとするとCO_2排出量は大きいが、これを太陽光発電などの再生可能エネルギーを利用すれば小さくできる。原単位を三〇％下げて、例えば〇・七にすれば、かけ算で約五〇％の削減が可能になる計算になる。

消費ベースの削減と日本の強みを生かす政策

それでは、**図5－2**に示すとおり、日本全体で考えてみることにする。国内では電気のみではなく、石炭、石油、天然ガスなどの化石燃料が、電気以外にも直接使用されている。左の長方形部分が電力、右の長方形部分が電力でない部分であり、省エネを行えば長方形の底辺を小さくすることができる。ただしここには、工場を国外に移転させるなどの需要の減少も含まれている。

[図5-2] カーボンニュートラル実現の考え方

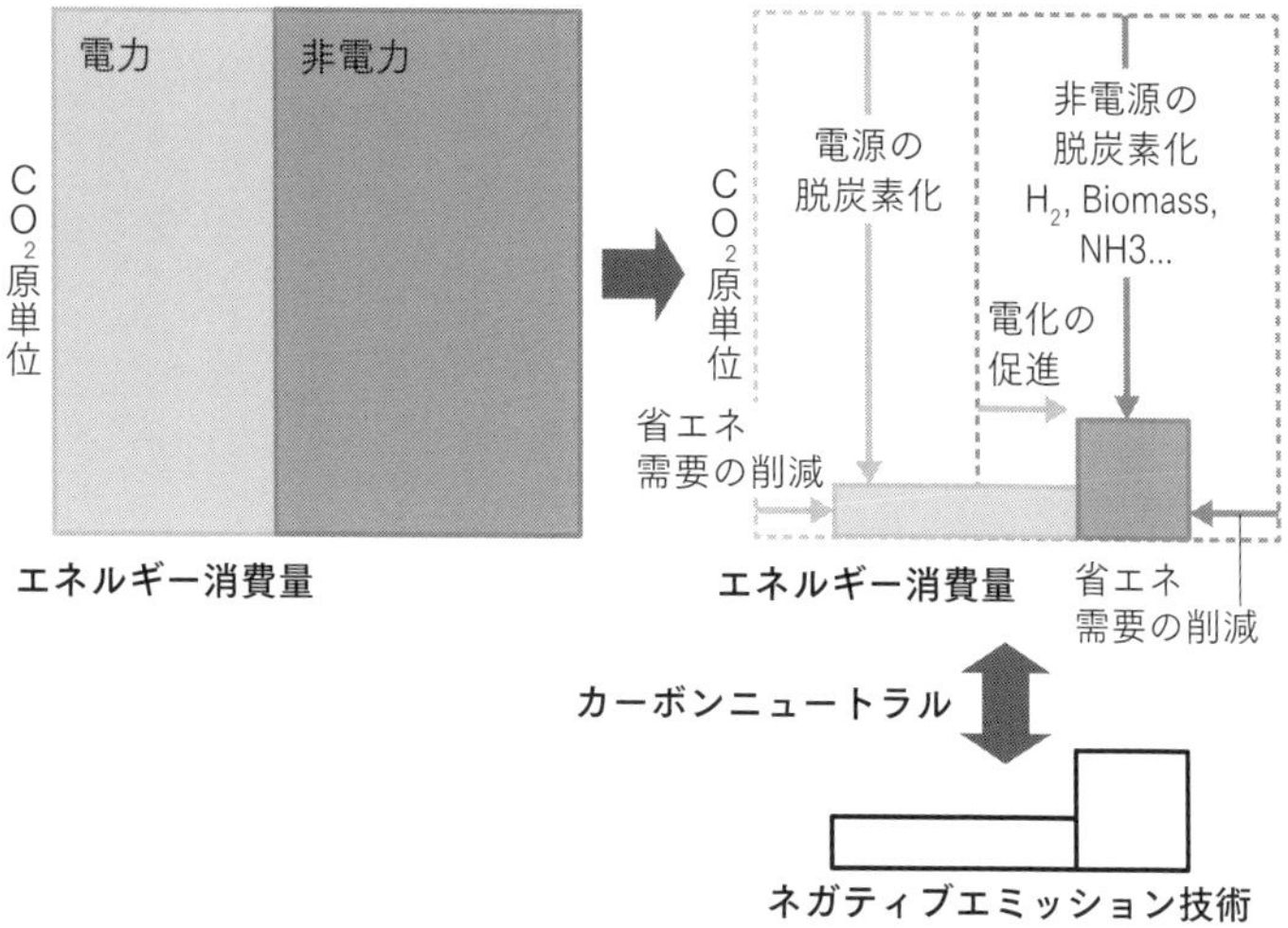

（出所）Modified from METI, Green Innovation

そして、左の部分の底辺を右側に延ばすこと。これが自動車、住宅・建築物などの電化の促進を意味し、右の底辺も省エネする。さらには、図の長方形の高さを低くすることが、電力の場合、再生可能エネルギー、非化石エネルギーの利用を意味することになる。

右の長方形部分は、熱利用のための水素、アンモニア、バイオマス燃料などが考えられる。それでも長方形部分の面積をゼロにすることは難しい。したがって、CCUS（CO_2の回収・貯留・有効利用）、DACCS（大気中のCO_2を直接回収・貯留）などのネガティブエミッション技術が必要とされ、これらで相殺しようとするのが基本的な考え方である。

これまでの対策をそのまま継続すればよいわけではない。ここでは住宅に関して紹介したい。建築物省エネ法では、冷暖房や照明、給湯などを除く一般的な家電製品のエネルギー消費を、「その他エネルギー」として分類している。入居者が選択する製品では、省エネラベルが果たす役割は大きい。特に、断熱性の高い住宅は暖房需要が小さいため「その他エネルギー」の割合が相対的に上がることになる。

関東から九州北部のオール電化ＺＥＨ（ネット・ゼロ・エネルギー・ハウス）六七戸のデータを解析したところ、「その他エネルギー」の割合が全消費エネルギーの約半分を占めていた。欧州のある研究グループは、「1・5度」目標を実現するために、テレビやゲーム機、電話、ビデオなど一八の家電製品をスマホで代替することを提案している。行動変容が生じる可能性がある。

代替される前の家電製品は黒物家電と呼ばれるもので、日本の製品がいまだ強い分野である。カーナビ、デジカメ、ゲーム等を高機能化している間に、それらはスマホに取って代わられたことを思い出してほしい。日本の新しい産業は、脱炭素を起点に考え直したほうが賢明である。

その意味で、『環境白書』で述べられている、消費ベースでのライフサイクル温室効果ガス排出量の統計は参考になる。その内訳は、住居一八％、移動一一％、食一一％、消費財八％、レジャー六％、サービス五％、固定資本形成（民間）二〇％、固定資本形成（公的）六％、政府消費一一％、その他四％となっている。住居・移動・食・消費財・レジャー・サービスが、約六割を占める家計消費である。

先端工業製品で国際競争をすることも重要だが、特に食の分野での和食のよさ、そして日本の観光や消費財のグリーンツーリズムなどを考えてはどうかと考える。高齢社会になり少子化も進んで衰退していく日本ではあるが、サービスのよさでの定評は世界一である。これは、新しい産業政策を考えるうえで、なかなか面白い視点ではないだろうか。

5 再生エネルギーの普及と双璧となる「徹底した省エネ」

省エネの深掘り

エネルギー自給率が一一％しかなく、平地面積が少ないため再生可能エネルギー設備の設置場所も限られる日本にとっては、省エネへの一層の取り組みがG7のどの国よりも必要になる。政府は、「省エネ対策の抜本強化に向けて、企業・家庭における省エネ投資について、規制・支援一体型で促進する」との方針に沿って政策を進めている。二〇二三年四月に開催されたG7気候・エネルギー・環境大臣会合の閣僚声明においても「省エネルギー・ファースト」が行動の推進原理として認識される必要性が強調された。

この政策のキーワードは、「規制・支援一体型」である。第6次エネルギー基本計画に示された二〇三〇年度の省エネ目標は、一三年度比で六二四〇万kℓの減であるが、この量は日本の全家庭で使用されるエネルギーを今後すべてゼロにしても達成できない数値である。実は、家庭での消費エネルギーの一・三倍に相当するエネルギー削減が必要とされているのである。

示された省エネ目標量は、一三年から二〇三〇年までのBAU（特段の対策のない自然体ケース〈Business as usual〉）での需要をマクロ経済モデルで予測し、そこから導き出されたものである。第5次エネルギー基本計画においては、二〇三〇年度に向けてエネルギー需要は増加するとしていた。これが第6次エネルギー基本計画では、BAUでも需要は低下すると予測しているのだが、この低下量にさらに削減量を上積みした省エネ量の六二四〇万kℓを達成しなくてはならないのである。

政府の提供する資料では、一三年度のエネルギー消費量は三・六億kℓで、二〇年度の実績は三・一億kℓと〇・五億kℓの減となっている。そして第6次エネルギー基本計画の目標値は二・八億kℓであるので、順調に減少しているようにも見える。しかし、これら実績値は、省エネによる減少と生産活動の低下による需要そのものの減少の両方が合わさったものである。したがって、産業部門の国内生産量がどのように変化しているかも、同時に観察していく必要がある。ロシアのウクライナ侵攻がもたらす世界的なエネルギー危機によって、日本のエネルギーコストも高騰を続けている。電気料金は、二一年七月〜二二年七月にかけて家庭用は約二二%、産業用は約三四%上昇した。このままの状態が続けば、二三年以降もさらなる値上げが避けられない状態にある。

家庭の光熱費が支出全体の一〇%を超えると、「エネルギー貧乏」が生じると言われている。そこで政府は家庭などに対して、電気代、ガス代の補助も行うと述べた。ただし、困った世帯に対する補助は必要であるが、バラマキと批判されるような一律の補助にならないよう、注意が必要である。

再エネの拡大と東京都の取り組み

エネルギーコストを抑えるためには、再生可能エネルギーの活用をさらに拡大すればよいと考えられるが、ことはそう単純ではない。再エネへの需要がなければ投資は進まない。民間事業者のRE100（事業の消費電力を一〇〇%再生可能エネルギーで賄うこと。環境イニシアチブの一つ）などの取り組みが急速に進みつつあるが、産業界全体ではまだ道半ばである。まずは、オンサイトまたはオフサイトPPA（電力売買）契約などによる調達や、小売電気事業者別の非化石電源比率を反映できるような幅広い対応が望まれる。

東京都では二〇二五年度から、新規住宅を建設する際に太陽光発電装置の設置を義務化した。東京のような都市では、大量にCO_2を排出する工場等が少ない。言い換えれば、産業部門からの排出が少ない分、都内のCO_2排出量のうち約七割が建築物でのエネルギー使用からのもので、家庭部門は全体の三割超を占めている。

さらに言えば、東京都では、産業部門や運輸部門での排出は減っているのに対し、唯一増加しているのが家庭部門、という事実もある。住宅からの排出を減らすためには、エネルギー消費を抑えることはもとより、住宅を対象として再生可能エネルギーの普及拡大を図る必要がある。今回の措置が一般住宅も対象としているのは、そのためである。

欧米でも、太陽光発電など再生エネルギー装置の設置義務化の動きが活発化してきており、特に欧州では日本以上にエネルギーコストが高騰し、徹底的な省エネと再エネ導入に舵を切っている。平地の少ない日本は、住宅や建築物の屋根を欧米諸国よりもっと有効に活用すべきなのである。

東京都の条例では、延べ床面積二〇〇〇㎡以上のビルなど大きな新築建物の場合は建築主が、それ未満の一般住宅も含めた中小規模の新築建物の場合は事業者が、義務対象となる。これとは別に、国が定める建築物の新しい省エネ基準も前倒しで実現するとしている。

都内に建つ新築建物のうち、棟数でカウントすると約九〇％は住宅となるので、太陽光発電設備の設置総数のほとんどを一般住宅が占める想定となる。年間で延べ床面積二万㎡以上を供給する住宅メーカー約五〇社が義務化の対象になる。

ただし、多くの人は、どのような新築住宅でも屋根に太陽光発電装置を設置しなければならないと思っているようだが、それは誤解である。対象となっているのは、あくまで大手メーカーの手掛ける物件であり、大手メーカーごとに設定された発電総量をクリアできる範囲で、設置の義務づけが行われることになる。もちろん、日射角度の不適な住宅や、パネルを設置する屋根の面積が狭い「狭小住宅」は除外するなど、実情は考慮される。

この約五〇社すべてが義務を果たせば、年間で東京都に建つ新築建物のうちの約半分に当たる二万四〇〇〇棟に、太陽光パネルが設置できると想定されている。対象となる約五〇社の多くは、断熱や省エネ機器採用など、国が省エネ性能の基準達成を求める「住宅トップランナー制度」の対象住宅メーカーでもある。これは、一定の棟数を建てる大手メーカーには、環境に配慮した住宅を供給する責任があるという考え方によるものである。

太陽光発電や風力発電は、変動型再生可能エネルギーと呼ばれるとおり、時間によって発電量が変動する。変動に対応するためには、配送電網の増強やスマート化、出力制御、そして蓄電池利用など、さまざまな技術が必要になる。そのなかで、電気の需給状況に応じて「上げ

ＤＲ」「下げＤＲ」を行い、再生可能エネルギーを無駄なく利用することが期待されている。例えばＥＶの活用や、さらには電力網に加えて、ガス網、通信網、水道網、交通網のいわゆるファイブグリッドのインフラデータを、セクターを超えて活用することも求められるだろう。そのためには、それぞれのインフラ情報の共有も必要になる。また、普及率の高いエアコンなどの機器が自律的に消費調整に寄与できるようになれば、電力系統の安定に大きな力にもなるので、トップランナー機器などにそうした機能を求めていくべきなのである。

この機能は、今後さらにエアコンを必要とするアジア諸国でも歓迎されるはずだ。米国などではすでに、住宅やビルにこれらの機能を持たせるデマンド・サイド・フレキシビリティー技術が注目されている。

住宅・建築分野の新築対策

住宅・建築分野で、徹底した省エネルギーと再生可能エネルギーの利用をコンセプトにしたものが、ＺＥＢ（ネット・ゼロ・エネルギー・ビル）とＺＥＨ（ネット・ゼロ・エネルギー・ハウス）である。国土交通省、経済産業省ならびに環境省の三省が合同で、二〇二一年八月に「脱炭素社会に向けた住宅・建築物の省エネ対策等のあり方検討会」の結果を公表した。これは、第6次エネルギー基本計画にも記述されており、そのなかで、次のようにＺＥＢ・ＺＥＨ

が政策目標としても位置づけられている。

二〇三〇年に目指すべき住宅・建築物の姿

（省エネ）新築される住宅・建築物についてはZEH・ZEB基準の水準の省エネ性能が確保される

（再エネ）新築戸建住宅の六割において太陽光発電設備が導入される

二〇五〇年に目指すべき住宅・建築物の姿

（省エネ）ストック平均でZEH・ZEB基準の水準の省エネ性能が確保される

（再エネ）導入が合理的な住宅・建築物における太陽光発電設備等の再生可能エネルギー導入が一般的となる

海外でも住宅・建築物分野を含むゼロ・エネルギー化の取り組みが進められている。例えばEUでは、二〇五〇年までにすべての既存建築物をゼロエミッション化させるという目標を達成するため、二〇三〇年までの新築建築物すべてのゼロエミッション化や既存住宅の最低エネルギー性能の引き上げに向けたEU指令の改正案が検討されている。米国においても、建築物における設備機器の効率化や電化に加え、外皮に関する性能向上への動きが進んでいる。

ＺＥＢ、ＺＥＨの定義などの詳細は省略するが、省エネと創エネで建築物の設計一次エネルギー消費量が一〇〇％削減可能なものを「ＺＥＢ」、七五％削減可能なものを「Nearly ZEB」、五〇％削減可能なものを「ZEB Ready」として定めている。その手前「ZEB Ready」を志向する取り組みに関しては、「ZEB Oriented」として位置づけられる。

ＺＥＢ、ＺＥＨが政策目標として位置づけられたとはいえ、日本の二一年度の新築建築物におけるＺＥＢの実績は、非住宅建築物の新築棟数約四万九五九九件に対して一九八件（約〇・四％）でしかなく、さらに取り組みを強化する必要がある。そうしたなか、国土交通省は官庁施設の計画・設計に適用する「官庁施設の環境保全性基準」を改定し、政府実行計画にもとづいて二二年四月から新築する官庁施設は、原則 ZEB Oriented 相当以上とすることを規定した。

また、二二年七月に全国知事会は脱炭素・地球温暖化行動宣言を行い、都道府県が整備する新築建築物について、①ZEB Ready 相当（五〇％以上の省エネ）を目指すこと、②都道府県が新たに導入する公用車は原則電動車を目指すこと、③都道府県有施設で使用する電力については再エネ電力への切り替えに最大限取り組むこと、の三項目が宣言された。

ＺＥＨに関しては、二一年度に注文戸建住宅の二六・八％がこれを達成し、ハウスメーカーに関しては六一・三％がＺＥＨになっている。一方、一般工務店はＺＥＨが一〇・七％と低く、また分譲住宅、賃貸住宅、マンションに関してもＺＥＨ化が遅れているため、この分野の底上げも急ぐ必要がある。

既存建築物対策の圧倒的な遅れ

省エネと創エネに関する対策は、新築に対しては行われるようになってきた。しかし、最大の問題は既存の建築物への対策である。住宅に関しては、給湯器や照明など、省エネ型への更新が必須である。欧州では二〇一九年に発表した「欧州グリーンディール戦略」の一環として、二〇二〇年に「リノベーションウェーブ」を公表した。

その内容は、これまで改修が行われる建物が年間わずか一％程度であったものを、グリーン投資により二〇三〇年までに倍増の三五〇〇万棟の建物を改修し、同時に地元に雇用を生み出すという政策である。

こうした取り組みで、省エネ化と住み心地の両立が図られると同時に、環境性能が低い建物は賃貸契約ができないという状況が生まれている。特に英国ではこの政策により、省エネ性能の低いF、Gランクのビルは賃貸ができなくなっており、さらに、二〇三〇年からは環境規制強化によって、建築物のエネルギー効率性を示す認証であるEPC（Energy Performance Certificates）がBランク以上のビル以外は賃貸できなくなる方針が示されている。

しかし、現在のオフィス・ストックのうちEPCがB以上の建築物は二〇％程度しかないため、早急なリノベーションが必要となっている。これを英国では、「ディープ・リノベーション(Deep Renovation)」と呼んでいる。同様に、米国でも既存改修に関する政策が、ホワイトハウスから公表された。

民間企業も巻き込んだ温室効果ガス排出削減やＳＤＧｓの目標達成を行うためには、国の規制だけではなく、投資思想を変える必要があるとの考えから、ＥＳＧ投資（環境・社会・企業統治に配慮している企業への優先投資）が広がっている。その際に必要となるのが、既存建築物のエネルギー格付けである。

欧州ではＥＰＣ、米国ではエナジー・スター（Energy Star）が運用時の光熱費からランキングを算出できる手法を開発している。これを利用することにより、賃貸や不動産取引を規制し、改修を促す政策を可能にしている。日本では、既存建築物のエネルギー性能評価はこれまで対応が遅れており、政策的な踏み込みを行うためにも格付け制度の整備が必要である。国際財務報告基準（ＩＦＲＳ）が策定する国際的なサステナビリティ開示基準案（ＩＳＳＢ）で、エネルギー格付けを取得した建物の割合の開示が求められていることもあって、日本の不動産会社は不利になる可能性がある。

運用時に排出される温室効果ガスのみではなく建設時から取り壊しまでのライフサイクルでの対応が必要になってくる。第8章ではその点についても述べている。

第6章

日本の電力市場の設計

これまでとこれから

杉本康太

1 電力市場とは

電力市場とは、電源が持つさまざまな価値に価格をつけ、取り引きする場のことである。[1] ウクライナ危機に端を発したエネルギーの需給不安定化による電力逼迫への懸念や、再生可能エネルギーの大量導入に対応するためには、日本の電力市場の現状を理解し、課題を明らかにしていくことが極めて重要になる。

電源の価値には、電力量・調整力・供給力などがある。電力量とは電気エネルギーのことであり、単位はｋＷｈ（キロワットアワー）で表される。調整力とは、短時間に発電量または消費量を変化させることのできる能力をいい、日本ではΔｋＷ（デルタキロワット）とも呼ばれる。そして供給力とは、発電機の設備容量のうち、ある時点で発電することができる能力のことであり、容量価値やｋＷとも表記される。

電力市場は、これらの価値の取り引きを行うだけでなく、電力システム全体で各発電機の発電量と各需要家の消費量を事前に計画し、需要と供給を一致させるという機能も有する。

とはいえ、すべての電源が電力市場で売買されるわけではない。発電事業者が自社の小売事業者に直接供給する自社供給や、電力市場を介さずに事業者間で相対契約が行われることも多い。これらは、次の式のように整理できる。

①発電事業者が所有する電源の供給力≧自社の小売部門に売る需要＋相対契約＋需給調整市場＋エネルギー市場

②小売事業者の抱える需要分の電力量≧自社保有の電源からの供給＋相対契約＋ベースロード市場＋エネルギー市場

発電事業者は、所有する電源の供給力を異なる売り先に配分し、小売事業者は、市場内外のさまざまな買い手から電力量を調達することで自社の需要に充てる。①②の式のポイントは、自社供給や相対契約など、市場外で取り引きされた分の電力量は、その後のエネルギー市場では売買できないということである。左辺と右辺が必ずしもイコールにならないのは、発電事業者はすべての供給力を売り尽くすわけではないこと、そして小売事業者は需要分の電力量の調達が不足することもある、という事情を示している。

日本の電力市場は、電力システム改革を早々に実行した欧米市場を参考に設計されているが、欧米も日本も市場設計の見直しを繰り返している。電力システム改革の目的は、従来の電力産業の垂直統合・(地域)独占体制が抱える問題を解決すべく、発電・小売に競争を導入し、経済性を追求することにあった。近年ではさらに、カーボンニュートラルの実現や再生エネルギーの大量導入にシフトしつつ電力の安定供給を維持する、といった課題が求められるようになり、新しい市場のあり方が模索されている。

2 日本の電力市場の構成

電力の安定供給を支える計画値同時同量制度

大規模に電力を貯めようとすると、非常に高額な費用がかかる(ただし近年では、蓄電池やEV、さらにはDR〔デマンド・レスポンス:利用者側の協力で電力需要を抑制しようとする取り組み〕を可能にする制御技術などの普及により、コストも変化しつつある)。したがって現状は、つくり出した電力を基本的に部屋に送電・消費する方法が取られている。

一方、送配電ネットワークで需要と供給のバランスに不一致が生ずれば、周波数の変化が起こって人々の生活に大きな影響をもたらす可能性も出てくる。そのため、瞬間ごとに電力の生産量と消費量を一致させる必要がある。そこで、日本の電力市場はどのように電力需給の一致を実現しているのかを見ていくことにする。

日本の電力市場の需給一致の柱は、計画値同時同量という制度である。本制度では、需給調整を二段階で行う。第一段階では、すべての発電事業者は未来に予想される発電量を、また、すべての小売事業者は自らの抱える消費者の未来の需要量を、一日を四八個に分割した三〇分単位で予測し、発電計画・需要計画として一般送配電事業者に事前に通知する。

ここで彼らが、その後の発電量・需要量の実績値を計画値に完全に一致させることができれば、電力システム全体で三〇分単位での需要と供給は一致し、安定供給を達成することができる。

実需給の前日段階で発電量・需要量を販売・調達するために、日本卸電力取引所（ＪＥＰＸ）には電力量を取引する前日市場がある。市場参加者は、エリアと時間を指定して希望する売りまたは買い価格と量の組み合わせを入札する。ＪＥＰＸは前日一〇時にそれらの入札を集計して売り入札曲線と買い入札曲線をつくり（**図6－1**）、交点で日本全体の市場価格を決める（シングルプライス・オークション）。

ここでは、エリア間の連系線の空き容量を制約条件とするため、連系線の空き容量以上に潮流が計画された場合は、連系線を挟んだエリアごとにシングルプライス・オークションをやり直し、エリアごとに異なる市場価格を決める市場分断方式を取っている。その後の一二時が、

［図6-1］東京エリア、9時〜9時30分の入札例

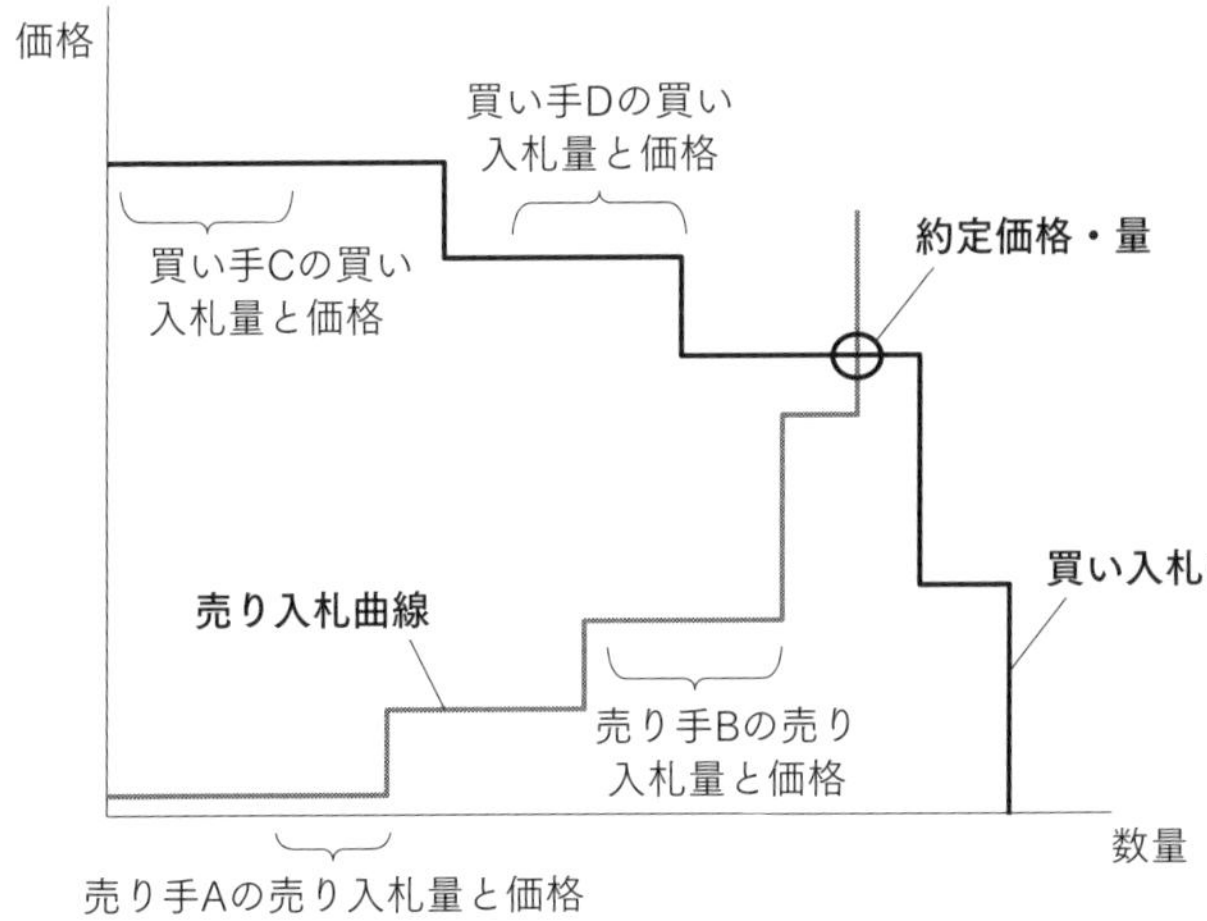

（出所）筆者作成

発電事業者と小売事業者の前日段階の計画値の報告期限となる。

ただし、前日の一二時時点で、発電・小売事業者は必ずしも任意の量の電気を販売・調達できているとは限らないため、ＪＥＰＸは、前日の一七時から時間前市場を開催している。時間前市場は、ザラバ方式と呼ばれる方法で実需給の一時間前まで開催されており、発電・小売事業者に予想される実績値に計画値を一致させるための最後の取り引きの機会が提供されている。そして実需給一時間前に市場は閉場され、発電・小売事業者の計画値が確定するのである。このタイミングをゲートクローズといい、前日市場と時間前市場はエネルギー市場（卸電力市場）と呼ぶ。

次に第二段階の需給調整に移る。需給調整

[図6-2] 日本のエネルギー市場と需給調整市場のスケジュール

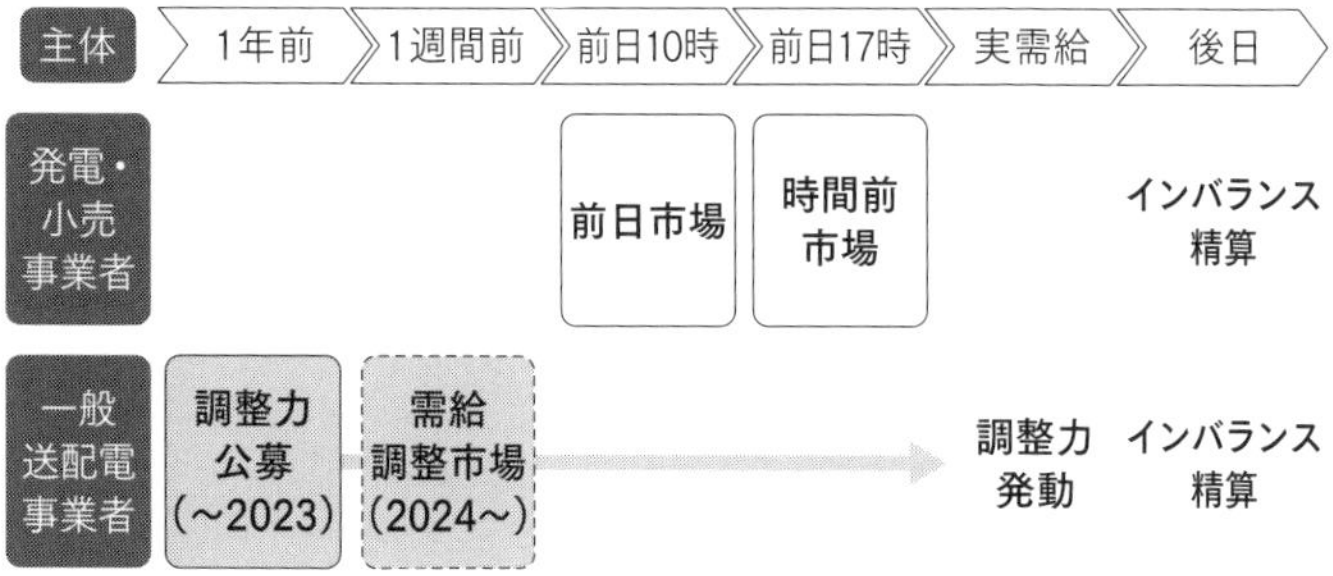

（出所）筆者作成

は、送配電事業者が調整力の発動を指示することで対応する。

発電・小売事業者の事前の計画値が、実績値と完全に一致することは、ほとんど稀と言える。発電機が故障するかもしれないし、天気の急変により再生エネルギーが余計に発電するかもしれない。また、需要も事前の想定より伸びるかもしれない。そもそも予測した三〇分以内にも、発電量・消費量ともに微小な変動が発生する（時間内変動）。

それらに対応するため、送配電事業者は事前に調達しておいた調整力の発動を調整力の提供者に指示することによって、リアルタイムでの需給調整を実現している。一般送配電事業者が調整力を調達するための市場として、需給調整市場がある。日本では二〇一七年度から調整力公募という名称で調整力が調達されてきている。

以上の電力市場の構成を時系列で整理したものが、**図6－2**である。

インバランスの発生を抑える仕組み

発電・小売事業者の計画値と実績値の差分（インバランス）の発生が、安定供給の実現に望ましくないことは言をまたない。したがって計画値同時同量制度には、事業者に計画値を実績値と一致させるよう仕向けるインセンティブが必要になる。それがインバランスの発生量をインバランス料金で精算するという、インバランス料金制度である。

事業者が発生させたインバランス（過・不足）に対して支払われるインバランス料金単価が十分なものであれば、事業者は、実績値を事前に正確に予測することに意欲を燃やし、計画値どおりに実際に発電・消費してエネルギー市場で過不足分を取り引きするようになるうえ、調整力への投資やDRの実装に対するインセンティブも生まれると考えられる。とはいえ、インバランス料金が高額すぎると、それを負担する新電力にとっては参入障壁となる可能性があるため、ほどよい塩梅の価格づけが模索されている。

日本ではインバランス料金制度の改革が進んでおり、二〇二二年度からはエリアごと、および三〇分単位のコマごとの需給状況と、発動した調整力エネルギーの限界費用を反映した新しいインバランス料金制度が導入されている（電力・ガス取引監視等委員会、2021）。

発電・小売事業者が効率よくインバランスの発生量を抑えるために、バランシンググループ制度というものがある。これはエリア内の複数の事業者が集まってグループを形成し、個々の事業者のインバランスを合算した値をインバランス料金の精算対象とするものである。

発電者のグループが発電バランシンググループであり、小売電気事業者のグループが需要バランシンググループである。正のインバランスと負のインバランスは相殺できることもあり、日本の新電力の七割以上が、なんらかの需要バランシンググループに所属している（村谷、２０２１）。

このように日々の需給調整は、発電・小売事業者と一般送配電事業者の両者がそれぞれ担っている。ただし固定価格買取制度（ＦＩＴ）で導入された再生エネルギーを仕入れる小売事業者は、これまで再エネの発電量のインバランスをインバランス料金で精算することを免除されていた（ＦＩＴインバランス特例制度①）。しかし二二年四月から導入されたＦＩＰでは、再エネを仕入れる小売事業者も通常のインバランス料金での精算が求められるようになった。

長期的な電力の安定供給を実現する容量メカニズム

計画値同時同量制度の下で実現を目指す安定供給は、時々刻々と変わる電力の生産量と消費量を一致させるための、短いスパンでの安定供給策と言える。一方、長期的な安定供給を実現するために、日本を含む数ヵ国では、容量メカニズムという制度が導入されている。

容量メカニズムとは、電力量や調整力ではなく、供給力に対する支払いを行う制度である。

日本では、二〇二一年度の供給力に対する支払い価格を決める容量市場が二〇年から導入され、毎年オークションが実施されている。この制度では、供給力確保義務が小売事業者に課され、小売事業者は毎年オークションで決まった市場価格を容量拠出金として、電力広域的運営推進機関を通じて発電事業者に支払うことになっている。

なぜ容量メカニズムが必要なのか。その最大の理由は、既存のエネルギー市場や需給調整市場からの収入や相対契約など取引手段だけでは発電事業者が新規電源投資に積極的になれない（状況にある）と考えられるからだ。その背景には、大きく五つの要因がある。

第一に、発電事業者が前日市場や需給調整市場など、市場から得られる収入をもとに投資を決定するためには、将来、需給の逼迫が発生して市場価格の高騰が頻繁に起きる、と期待できる状況が必要となる。しかし需給逼迫は、一歩間違えれば強制的な需要遮断にもつながりかねず、安定供給の足許を揺さぶる事態とも言える。

巨額の固定費用がかかる電源は、計画から運転開始までに数年から数十年という長いリードタイムを要し、DRが大規模に利用可能ではない現状も相まって、需給逼迫を解消するために取れる手段は限られている。そのため、日本を含めた各国政府や規制機関の多くは、新規電源投資が実現するまでの間、需給が逼迫したり市場価格が高止まりしたりして、国民生活に混乱を引き起こしかねない事態は未然に防ぎたい、と考えている。

第二に、リスク回避を第一とする事業者や金融機関の存在がある。理論的には、事業者のなかには、リスクを好む、あるいはリスクに中立的な事業者もいることになっているが、現実には、事業者の多くがリスクは避けたいと考えている。リスク回避志向の投資家（金融機関）は、時間によって変化する市場価格から投資費用を回収するために、より多くの対価（リスクプレミアム）が得られるという期待が持てなければ投資（融資）を行わない。こうなると、資金調達は困難になる。さらには、頻繁に変更される政策・制度が事業環境を悪化させる可能性のあることも、回避困難な政治・規制リスクとして認識されている（Newbery, 2023）。

第三に、発電事業者が望む長期の契約が結びづらくなっている、という問題がある。長期の相対契約を結べば、売電価格を長期間固定して維持できるので、市場価格の変動に影響されることなく安定した収入を得ることができる。実際、先渡市場や先物市場は、そうしたニーズに応じて整備されている。

しかし、取り引きの買い手として想定される小売事業者にとっては、自由化によって顧客が簡単に他社へ乗り替えられるようになったこともあり、長期の価格固定契約を結ぶ動機は弱まっている（Roques and Finon, 2017）。調達した電力を、長期にわたって販売し続けられるかわからないからである。

先渡市場や先物市場が日本より発達している欧州でも、取り引きされている商品の期間は二〜三年ものが多く、電源の投資回収に必要とされる二〇年はカバーされていない。

第四に、純粋に利益を追求する発電事業者は、他の事業者と共謀することで戦略的に電源投資を控え、需給逼迫状態を維持することで市場価格を高止まりさせ、既存の発電所からの収入を増加させようとする可能性があることである（南部、２０１５）。

第五の要因は、再生エネルギーの増加にある。太陽光や陸上風力といった変動性再生エネルギーは、限界費用がほぼゼロであるためメリットオーダー効果（売り入札曲線の右シフト）によって、エネルギー市場の価格を低下させる。したがって、再生エネルギーの増加が既存の電源、特にガス火力の収入低下を生んでいる。火力発電は収入が事前に期待できなければ起動しない。こうして稼働時間が減少することで、売電収入の不確実性がさらに増すことになる。

ここで注意するべきは、容量メカニズムの必要性は、再生エネルギーの導入が進む前から発生していたということだ。根本的な原因は、電力システムを改革して、発電・小売に競争原理を導入したことにある。それに加えて、限界費用がほぼゼロで発電量が変動する再エネの増加は、この問題を一層進行させていると考えられる。

3 日本の電力市場の成果と課題

では、これまでの日本の電力市場の成果と課題について考えてみることにする。

電力市場の逼迫招くブロック入札

前日市場は、グロスビディングや間接オークションなど、さまざまな制度的取り組みの結果、近年売り・買いの入札量が増加傾向にある。ただし、市場参加者がいつでも欲しいだけの量を適正な価格で買えるわけではない。全国で需給逼迫が発生した二〇二一年一月には、前日市場の価格は最高二五一円／ｋＷｈを記録した。最高価格を記録した時間帯では、売り入札曲線の右端の垂直の部分と買い入札曲線が交点となり、売り切れに近づいて市場価格は買い入札価格で決定されていた。

こうした売り切れの原因として、化石燃料の輸送には約二カ月を要するため、新しい燃料が届くまでの間、火力発電事業者は国内の限られた燃料でやり繰りするしかないという事情があること、さらには国内ＬＮＧ貯蔵タンクの容量の物理的制約に加え、前日市場でのブロック入札が挙げられる。

電力・ガス取引監視等委員会の調査の結果、いくつかの大手発電事業者は、通常の入札方法ではなく、ブロック入札を頻繁に使用していることが明らかになった（電力・ガス取引監視等委員会、２０２１）。

前述したように、通常の売り入札は、三〇分単位のコマごとに入札を行って約定の有無が決定されるのに対し、ブロック入札は複数のコマをまとめて（ブロックとして）売り入札する手法である。まとめ方は、二時間以上の時間を指定し、その時間帯を通じた価格と量を指定して売り入札を行う。

ポイントは、指定したコマすべての売り入札価格が市場価格以下になった場合にのみ約定する、ということだ。ブロック入札で約定しなかった場合、売り手側はその分の売電収入を逃す一方、買い手側は電力量の調達ができず、売り切れが起こりやすくもなる。

ブロック入札は、火力発電や原子力発電が持つ起動という特性に応じて導入された売り入札方法である。停止している発電機が起動して運転を開始した後、供給や調整が可能となるまでには費用と時間がかかる。

起動費用は、発電機が安全に発電できるようになるよう、事前に発電機を温めるために必要な費用である。この費用は、その後に生産する発電量の多寡にかかわらず生じるため、固定費用の一種と考えられる。一〇〇万ｋＷの石炭火力の起動費用は、平均で一回一五〇〇万円、

ＬＮＧ火力の起動費用は一回五〇〇万円だという（資源エネルギー庁、２０２１）。

注目される集中型市場設計

調整力を除き、電源を起動させるか否かを判断するのは、基本的に発電事業者である。起動費用を負担したうえで、発電事業者が市場で利益を得るためには、できるだけまとまった時間の発電を続ける必要がある。例えば、朝に起動・発電を開始し、約定ができずに昼にはいったん停止して夕方に再び起動・発電するとなった場合、一日中発電し続けていた場合に比べて、起動費用が余計にかかるからだ。

そこでブロック入札を行うのだが、売り入札価格を必ずしも最終的に実現した市場価格以下に設定できるとはかぎらないので、約定できないこともある。そうした場合には、翌日の起動が見送られる判断もある（調整力として一般送配電事業者から起動指示を受けた場合を除く）。時間前市場の価格づけの方法は、現状シングルプライス・オークションではなくザラバ方式である。この方式ではブロック入札ができないため、時間前市場での収入を期待しての起動という判断は、さらに難しいと言われる。

この問題への対応として、二つの策が検討されている。一つは欧州を参考に、より柔軟な売り入札を可能にする、さまざまなブロック入札方法を導入することであり、もう一つは米国を参考に、現在の分散型の市場構成から、集中型の市場へ移行することである。

この集中型の市場に対しては、二〇二一年一二月から経産省で開催された「卸電力市場、需給調整市場及び需給運用の在り方に関する勉強会」で提案されて以降、熱い視線が注がれている（資源エネルギー庁、２０２２a）。集中型とは米国東部のＰＪＭインターコネクション（Interconnection）で採用されている市場設計および系統運用であり、日本がこれまで参考にしてきた欧州の市場設計とは、いくつかの点で大きく異なる。

ＰＪＭでは、非営利組織の独立した系統運用者が、電力市場の運用も行っており（日本や欧州では、前者が送電会社、後者は取引所と、別主体が担っている）、電源起動の判断も、発電事業者ではなく基本的に系統運用者が行う。そして前日市場では、発電事業者が限界費用や起動費用などの情報を入力するなど、基本的にすべての電源は前日市場に入札する必要がある。

小売事業者は、入札価格ではなく、買い入札量だけを入札する。系統運用者兼市場運用者はそれらの入札情報を集約し、送配電線の空き容量も加味してエネルギーと調整力を同時に最適になるように約定させる（ゆえに日本では同時市場と呼ばれる）。そのため小売事業者は、ゲートクローズ前に計画値をあらかじめ予想される実績値と完全に一致させる必要はなく、実績値を後日に精算するだけでよい。

したがってインバランス料金制度の設計は不要になるが、代わりに前日市場とその後に開催されるリアルタイム市場で、電力の地点ごと・時間ごとの希少価値を反映した価格づけが行われるよう工夫されている。

この集中型の市場設計が注目されるのは、日本の分散型の電力市場が抱えるさまざまな問題を一気に解決してくれると期待されているからである。例えば前述した前日市場で売り切れが発生し、市場価格が高い買い入札価格で決定されること、起動する電源が供給後に過剰・過小になる可能性があること、あるいは需給調整市場で一般送配電事業者が先に調整力を予約することで、その分エネルギー市場への売り入札量が減ってしまうこと（電力量と調整力の取り合い。後述）、そして時間前市場の売り入札量が小さいこと、などである（大橋・山本、２０２２）。

こう並べてみると良いことばかりのようだが、この集中型にも欠点はある。一つは、発電事業者が意図的に費用に関する情報を不正確に申告し、追加的な収入を得ようとする可能性が高まることであり、そして、前日市場での価格づけの方法が複雑になることだ（Conejo and Sioshansi, 2018)。さらには、分散型から集中型に移行する場合、計画値同時同量制度のような既存のさまざまな制度や系統運用者・取引所の組織のあり方に大きな影響を与えるため、移行にかなりの年月がかかる、ということである。

需給調整市場における成果――インバランス・ネッティングと広域運用

太陽光発電や風力発電などの再生エネルギーは、発電量が天候によって変動するため、完璧に事前予測することが困難という特性がある。ＦＩＴで投資された再エネの発電量と実績値の差は、ＦＩＴインバランス特例制度の下、基本的に一般送配電事業者が調整している。再生エネルギーが増加すると、一般送配電事業者は再エネの出力変動や予測誤差に備える必要性が増し、需給調整に要する費用の増加懸念が出てくる。

需給調整費用は、一般送配電事業者が、調整力を有する事業者からあらかじめ調達する容量の予約費用に、調整力の提供事業者に対して実際に発動した調整力の量に応じて支払うエネルギー費用を加えた額となる。

それでは、需給調整市場では、需給調整費用を安くするためにどのような改善が行われているか、を見ていくことにする。

二〇一七年度に導入された調整力公募の一つ目の特徴は、一般送配電事業者の管轄エリアごとに調整力を調達し、発動の指示をしている点であった。しかし、あるエリアで不足インバランスが発生したタイミングで、隣のエリアで同じ量だけ余剰インバランスが発生している状況となれば、本来調整力の発動は不要である。両エリアの需給を合算すれば、インバランスは発生していないことになるからである。

そこで、エリア間のインバランスを合算して不足分と余剰分を相殺する取り組み（インバランス・ネッティング）が、三次調整力を対象に二一年三月一七日の一七時から、沖縄エリアを除く九エリアで行われている。これによって、三次調整力の発動量を減らすことができるとともに、一般送配電事業者は需給調整を低費用で達成することができるようになる。

さらに、インバランス・ネッティングをしたうえで発動する調整力は、必ずしも自エリア内で調達したものに限る必要はなく、連系線に空きがあり、他のエリアにエネルギー単価のより安い調整力があれば、それを優先的に発動したほうが安上がりとなる。現在、こうした調整力を全国で安い順に発動する、調整力の広域（メリットオーダー）運用も行われるようになった。この、インバランス・ネッティングと広域運用を併せて行う広域需給調整により、二一年四月～二二年一月の一〇カ月間で、一八〇億円の費用削減効果があったとされている（送配電網協議会、２０２２）。

加えて、調整力の調達をエリアごとではなく、広域で行う取り組みも進められている。すでに三次調整力②は、広域調達が行われ、従来と比較して三割程度の調達費用低下効果が確認されている（電力需給調整力取引所、２０２２）。

[図6-3] 調整力公募の応札容量（棒グラフ）と
落札電源の平均価格（折れ線グラフ）

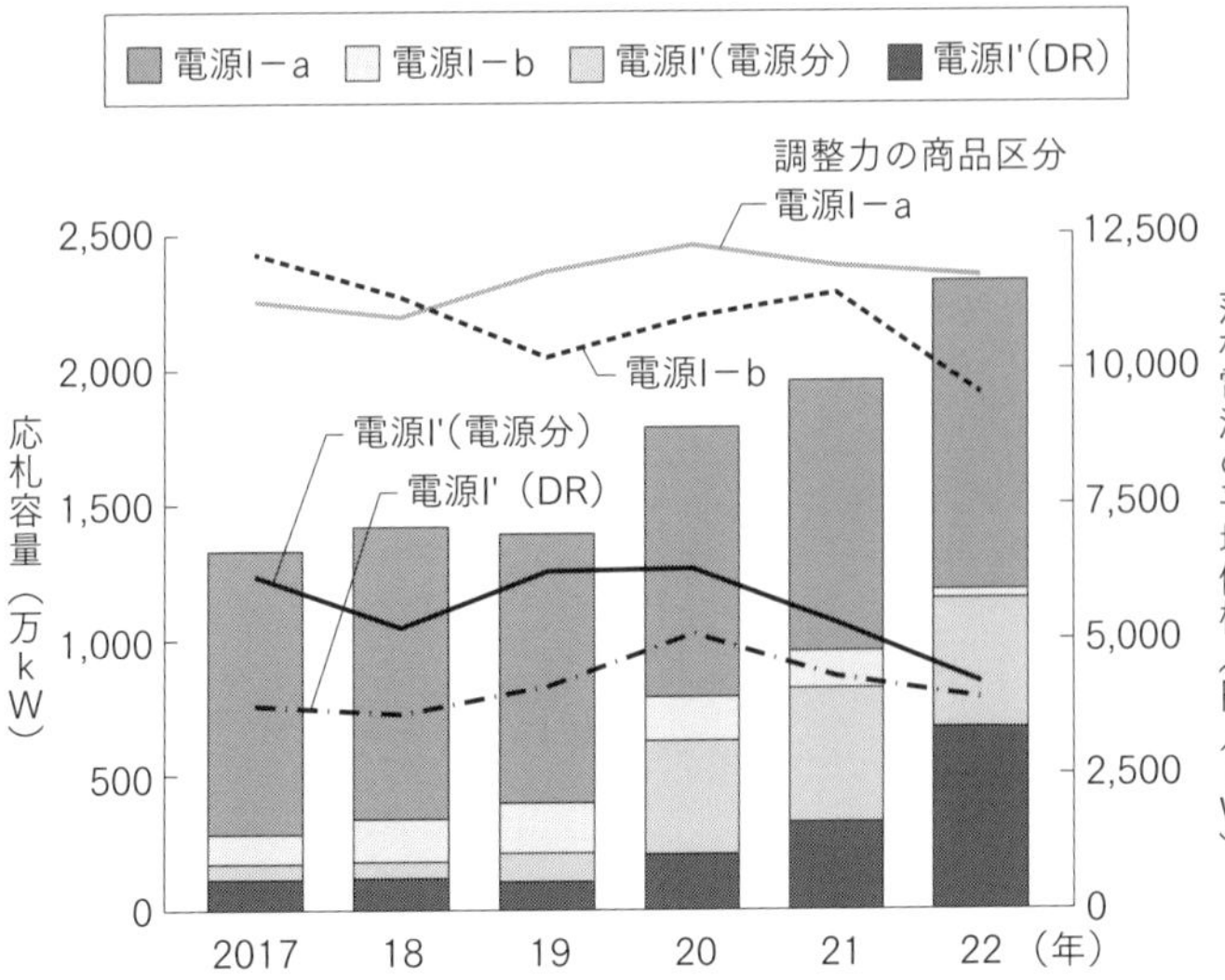

（出所）電力・ガス取引監視等委員会（筆者作成）

デマンド・レスポンス（DR）の増加が需給調整費用の低下に貢献

日本では、DR（利用者側の協力で電力需要を抑制しようとする取り組み）による調整力公募への参加が進み、これが需給調整費用の低下に貢献している。DRは、調整力公募の設ける商品のうち、電源I'という枠で募集されている。

二〇一七年度から一九年度分までは、電源I'の募集容量一三三万～一九九万kWに対して、応札したDR容量は一〇〇万kW程度と、低調であった。しかし、二〇年度にはこれが一九九万kWと約二倍となり、二一年度には三二一万kW、二二年度には六六六万kWと右肩上がりで急増した（**図6－3**の左側の縦軸を参照）。

この急増は、**図6－3**の棒グラフからも見られるように、電源Ⅰ－aや電源Ⅰ－bの、募集容量に対して応札容量が増加していない動きとは対照的と言える。

電源Ⅰ－aとは、一般送配電事業者の指令から五分以内に発動できる電源をいい、電源Ⅰ－bは一五分以内に発動できるものをいう。これらに対して、電源Ⅰ′の反応速度は三時間以内と遅く、完全な代替関係にあるとは言えないものの、落札電源の平均価格は電源Ⅰ′のDRが最も低く、調整力の調達費用削減に貢献していることがわかる（**図6－3**の右側の縦軸を参照）。

需給調整市場の課題——調整力の調達タイミングを実需給に近づける

二〇一六年から始まった調整力公募では、翌年度一年分に必要な調整力容量（電源Ⅰ：電源Ⅰ－aとⅠ－bとⅠ′のこと）を調達していた。

この年間調達の問題点は、調整力を過剰に調達してしまう可能性があることだ。年間調達では、翌年一年間を通してピークの需要量を予測し、その予測値に合わせて調整力の必要量を求めるのだが、一年前の予測容量が実際のニーズと一致するとはかぎらない。

後になって、実際には調整力発動の必要がない時期があったと判明しても、落札（予約）さ

[図6-4] 欧州各国の2020年の需給調整費用(棒グラフ)と調整力の前日調達の比率

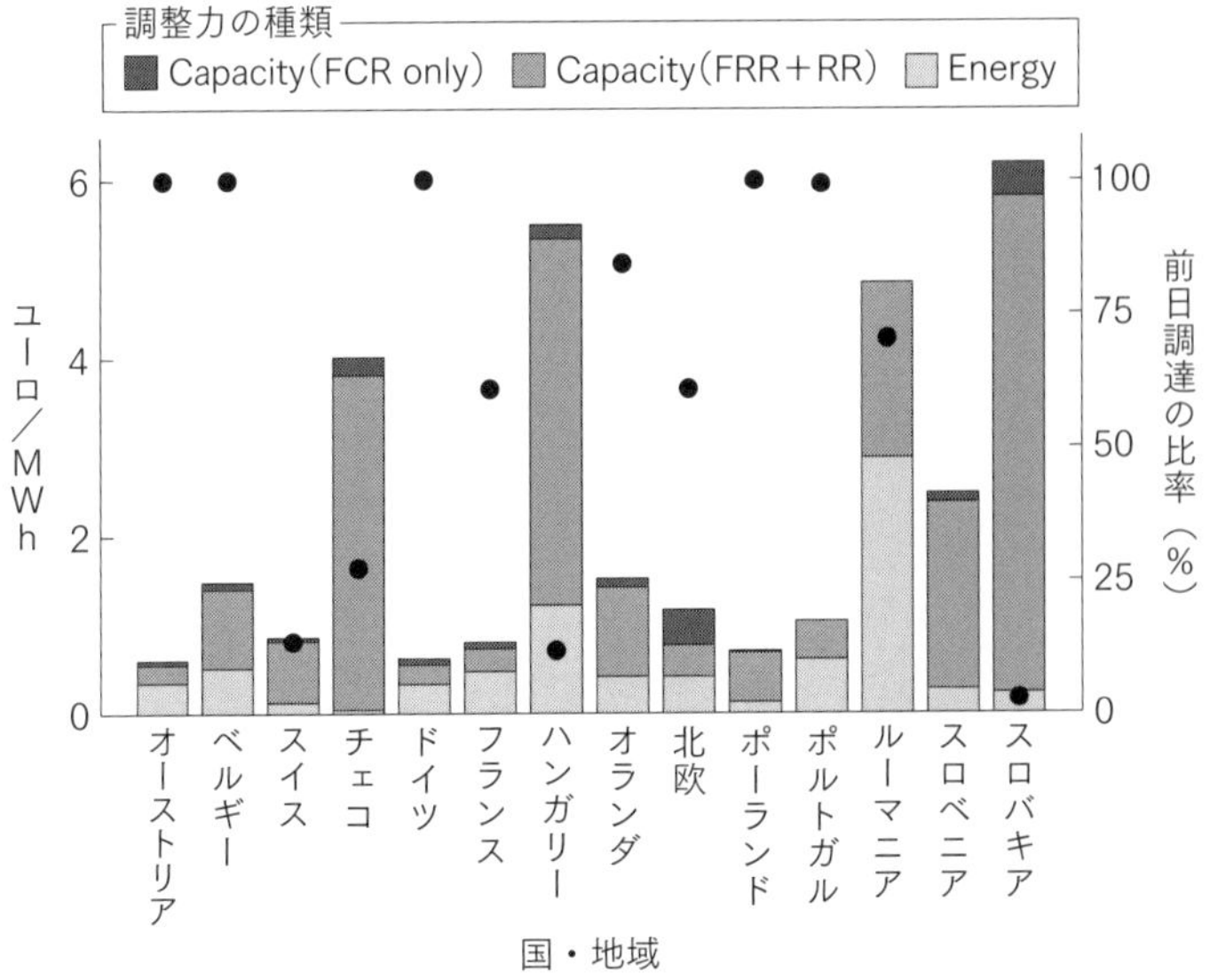

(注)スロベニアは前日調達の比率のデータなし
(出所)ACER, CEER(2021)

れた電源Ⅰは、その期中、調整力の発動指示に備えて待機しておく必要がある。そのため、エネルギー市場で販売することができないのである。これが、エネルギー市場での売り入札量不足の一因になっている。

こうした問題を解決するには、調整力の調達を行うタイミングを実需給に近づければよい。そうなれば、ぎりぎり直前の最新需給予測にもとづいて本当に必要な調整力容量をそのつど計算できることになり、調整力の調達費用を減らす道が開けるのである。

欧州各国も、日本同様に需給調整市場を設けており、当初は調整力を年間調達している国も多かった。しかし最近では、募集時期を実需給に近いタイミングにまで近づける国が増えている。

興味深いことに、**図6－4**が示すように、スロバキア、ハンガリー、チェコのように前日調達の比率が低い国ほど、調整力容量の確保費用が高くなっている（ACER/CEER, 2021）。二〇年の時点で、欧州の調整力である Frequency Control Reserve、Automatic Frequency Restoration Reserve、Replacement Reserve の容量の約七五％、Manual Frequency Restoration Reserve の五九％が前日で調達されている。

また年間調達は、需給調整市場への参入障壁になっている可能性もある。現状、既存の調整力の大半を有しているのは旧一般電気事業者（旧一電）であり、電源Ｉ－ａとＩ－ｂのほとんどを供給している。

前掲の**図6－3**に示す年度別の平均落札価格を見ると、いずれの調整力の商品も、落札価格は年度を経ても低下していないことがわかる。この背景には、毎年、公募への参加者が増えず、競争が限定的であることがうかがえる。

入札開催期間を後ろ倒しにし、容量の調達期間を短くすれば、火力発電のような伝統的な調整力に加え、さまざまな新しい調整力（再生エネルギー、蓄電池、ＥＶや、それらを束ねて仮想的な発電所として柔軟に運用できるアグリゲーター）も入札しやすくなると考えられる。容量の調達後、一年間ずっと待機し続けるより、一カ月、一週間、一日、あるいは数時間だけの待機のほうが、はるかに容易と考えられるからだ。

二〇二四年から調整力公募を置き替えるかたちで始まる需給調整市場では、一次、二次、三次調整力①では、調達時期が年間から週間に変わる予定になっており、現状より改善していくと思われる。最も遅い調整力の三次調整力②（ブロック入札）は、二一年四月からすでに前日調達に移行しており、前日の一二時から一四時の間に入札が、一五時までに約定が行われている。そこでは、翌日二四時間を八つに分け、三時間ずつの商品ブロックが用意されている。

容量市場――脱炭素オークション

二〇二四年からの供給力確保のため、容量市場のオークション（将来の一定期間の需要に対する供給力をオークションで募集して決める仕組み）が二〇年から始まった。しかし、始まってからも再生エネルギー以外の新設電源投資の計画はなかなか現れない。そこで現在、容量市場のなかに、さらに「特別オークション」の位置づけで「長期脱炭素電源オークション」を設けるべく制度設計が進められている（資源エネルギー庁、２０２２ｂ）。通常の容量市場が四年後の一年間の供給力に対して支払われるのに対し、この新制度では二〇年という長期の供給力へ支払われることになる。

長期脱炭素電源オークションの大きな特徴は、多様な脱炭素電源の導入促進を図るため、特定の脱炭素電源を優遇しないという意味の技術中立を目指していることだ。落札した新設の電源がＬＮＧと蓄電池に偏ってしまった英国の容量市場の結果を反面教師にして、多様な電源が落札されるよう試みられている。

一方で、電源の種類別に異なる最低入札容量を入札資格として設け、さらには落札した電源が受け取ることのできる上限価格（電源共通で一〇万円／ｋＷ／年）を設定している。この理由は、多様な脱炭素電源の導入促進という目的を、費用を抑えつつ達成しようとしていることにある。

しかし、経済性を両立させようとするこれらの設定のために、特定の脱炭素電源が実質的に排除されてしまう可能性もある。募集量も電源種ごとの設定になっていないので、英国のように特定の電源が募集量の大半を落札してしまう可能性もある（Fabra, 2021）。電源種ごとに募集量の枠を設定すればさまざまな電源を支援できるが、募集量の設定は制度設計者が行う必要がある。悩ましい問題は、どの脱炭素電源技術が将来低コストで利用可能になるのかが、確実には見えていないことだ。とはいえ、今の時点での候補はある。現在、明示的に考慮されているものは、例えばＪＥＲＡが活用を表明している水素またはアンモニア火力である。

長期脱炭素電源オークションが採用したもう一つの大きな特徴が、短期的には脱炭素電源と呼べない電源も入札対象に認めていることだ。例えば、既設の石炭・ガス火力発電を、〝グレーな〟方法で製造・輸送した水素またはアンモニアを使う混焼方式に改修するという電源投資も認められる。

これらは、当面は二酸化炭素（CO_2）を排出するが、将来的には専焼化に改修してグリーンな水素・アンモニアに変えていくという道筋を計画として提出させ、違反した場合のペナルティを設けることで、長期的には脱炭素実現にコミットさせようとするものである。いきなり厳密な意味での脱炭素電源だけを対象とするのではなく、段階を踏んで脱炭素電源へ移行することを目指すアプローチだ。

容量拠出金を負担する小売事業者や消費者がこの制度を受け入れるためには、落札した発電事業者が真に長期的な脱炭素化を目指すというコミットメントを守ることが重要となる。そうでなければ、需要家に脱炭素電力の価値を提供するという最終的な目的は、達成できないだろう。

注

1 厳密には、他に先渡市場・先物市場なども存在するが、単純化のためここでは省略している。

引用文献

大橋弘・山本敏之（２０２２）「需給調整メカニズムの現況と課題：欧米の比較を踏まえた２０２４年度以降に向けての考察と提言」CIRJE-J-303

資源エネルギー庁（２０２１）「系統安定化費用について」令和３年４月20日 総合資源エネルギー調査会 発電コスト検証ワーキンググループ（第４回会合）資料２ https://www.enecho.meti.go.jp/committee/council/basic_policy_subcommittee/mitoshi/cost_wg/2021/data/04_05.pdf

――（２０２２ａ）「卸電力市場、需給調整市場及び需給運用の在り方勉強会」の各種資料および議事録

――（２０２２ｂ）「電力・ガス基本政策小委員会 制度検討作業部会 第八次中間とりまとめ～脱炭素電源への新規投資を促すための制度の詳細について～」令和４年10月 総合資源エネルギー調査会 電力・ガス事業分科会 電力・ガス基本政策小委員会 制度検討作業部会 https://www.meti.go.jp/shingikai/enecho/denryoku_gas/denryoku_gas/seido_kento/pdf/20221003_1.pdf

送配電網協議会（２０２２）「現状の需給運用および一般送配電事業者が 把握している電源等の情報について」 https://www.meti.go.jp/shingikai/energy_environment/oroshi_jukyu/pdf/002_04_00.pdf

電力・ガス取引監視等委員会（２０２１）「電力市場の動向と監視の在り方について（機会費用入札、スポット市場・ベースロード市場の動向）」新電力へのご説明資料 https://www.enecho.meti.go.jp/category/electricity_and_gas/electricity_measures/winter/study_ group/pdf/20211109_07.pdf

——（２０２２）「インバランス料金制度等について」電力・ガス取引監視等委員会事務局 ネットワーク事業監視課 令和４年１月28日
https://www.emsc.meti.go.jp/info/public/pdf/20220117001b.pdf

電力需給調整力取引所（２０２２）「需給調整市場における三次調整力①、②の取引状況について」２０２２年４月25日 電力需給調整力取引所
https://www.meti.go.jp/shingikai/enecho/denryoku_gas/denryoku_gas/seido_kento/pdf/064_05_01.pdf

南部鶴彦（２０１５）「電力システム改革は電力業のパフォーマンスを改善するか」諸富徹編著『電力システム改革と再生可能エネルギー』日本評論社

村谷敬（２０２１）「マーケット考察 新電力の明暗分かつ電源調達、中小新電力存亡のカギを握る存在とは 電力市場高騰で見えた新電力経営の神髄」
https://project.nikkeibp.co.jp/energy/atcl/19/feature/00007/00049/?P=2

ACER/CEER (2021) “ACER Market Monitoring Report 2020 – Electricity Wholesale Market Volume” https://acer.europa.eu/Official_documents/Acts_of_the_Agency/Publication/ACER%20Market%20Monitoring%20Report%202020%20%E2%80%93%20Electricity%20Wholesale%20Market%20Volume.pdf

Conejo, A. J., Sioshansi, R. (2018) Rethinking restructured electricity market design: Lessons learned and future needs. Int. J. Electr. Power Energy Syst. 98, 520–530. https://doi.org/10.1016/J.IJEPES.2017.12.014

Fabra, N. (2021) The energy transition: An industrial economics perspective R. Int. J. Ind. Organ. 79,

102734. https://doi.org/10.1016/j.ijindorg.2021.102734

Newbery, D. (2023) Efficient Renewable Electricity Support: Designing an Incentive-compatible Support Scheme. Energy J. 44. https://doi.org/10.5547/01956574.44.3.DNEW

Roques, F., Finon, D. (2017) Adapting electricity markets to decarbonisation and security of supply objectives: Toward a hybrid regime? Energy Policy 105, 584–596. https://doi.org/10.1016/j.enpol.2017.02.035

第7章

エネルギーショックに対峙する投資家の視点

黒﨑美穂

1　エネルギーショック下での投資家の動き

エネルギー転換を促進する動きと抑制する動き

金融業界では、二〇二一年から二二年にかけて、脱炭素化に向けたエネルギー転換の流れのなかで相反する動きが見られた。

一つは、二一年初頭から続くエネルギー転換を促進する動きである。それはつまり、気候変動対策に積極的に取り組む企業を支援し、逆に消極的な企業にはエンゲージメント活動を通じ建設的対話を広げる動きである。

大手企業の株式を保有する機関投資家の多くは、企業の気候変動問題への取り組みに関する議決権行使ポリシーを定めている。例えばステート・ストリート・グローバル・アドバイザーズは、二二年の議決権行使ガイドラインで、気候変動に対するリスクと機会を開示しない企業、または排出削減目標のないS&P（スタンダード&プアーズ）構成銘柄企業の社外取締役には賛成票を投じない、としている。

もう一つの動きは、ロシアのウクライナ侵攻がもたらしたエネルギー価格の高騰によって、エネルギーの安全保障についての議論が高まり、それまで厳格だった気候変動に関するポリシーが少し緩まった、というものである。

この動きは、長期的にはエネルギー転換を抑制するものではないと考えられるが、近々のエネルギー需要を満たすためには、ある程度の化石燃料、特にガスに対する投融資はやむをえない、という判断の表れと見て取れる。

毎年投資先のCEOに新年の書簡を送っているブラックロック社（米国の資産運用会社。世界最大）会長兼CEOのラリー・フィンク氏は、二一年には、気候変動がビジネスモデルに及ぼす影響や高品質な情報開示の必要性を述べていたが、二二年の書簡では、「石油・ガス会社から一律に資本を引き揚げる方針は取っていない」と、前年よりもエネルギー安定供給に寄った記述になっている。

こうした相反する二つの動きは、エネルギー転換の流れを遅らせるかのように見えるが、長期的目標の二〇五〇年ネットゼロについては継続維持されていることが注目に値する。

前述したラリー・フィンク氏の書簡の後半では、「移行を先導する企業への投資は弊社のお客様にとって重要な投資機会をもたらすことになると考えています。また、このような不死鳥のような強さのある企業に資本を振り向けることが、ネットゼロ社会の実現に不可欠になると確信しています」とも述べられている。つまり、炭素集約度の高いセクターの企業でも、エネルギー転換に積極的な企業や、それを支える技術を持つ企業などには、積極的に投資するというのである。

実体経済の脱炭素を目指すGFANZ

二〇二一年一一月に英国のグラスゴーで行われたCOP26（第二六回国連気候変動枠組み条約締約国会議）では、金融機関の動きが大いに盛り上がった。経済社会の脱炭素化にコミットする金融機関の有志連合「グラスゴー金融同盟（GFANZ：Glasgow Financial Alliance for Net Zero）」が、イングランド銀行元総裁のマーク・カーニー氏を共同議長として、正式に発足したのである。

傘下には、ネットゼロを目指す銀行同盟のネットゼロ・バンキング・アライアンス（NZBA）、ネットゼロ・アセット・マネージャーズ・イニシアチブ（NZAM）、ネットゼロ・アセットオーナー・アライアンス（NZAOA）など七団体を擁し、加盟金融機関は約五五〇。日本からも三メガバンクなど、二六機関が参加している（二〇二三年一月現在）。

GFANZは加盟する金融機関に対し、一・五度C目標に近いパスウェイを用いてネットゼロの達成にコミットすること、また中間目標として二〇三〇年までに温室効果ガスを半減すること、を推奨している。金融機関の排出量は、自社での排出分よりも投融資先が排出する量のほうが多い。したがって、この同盟の加盟機関は、投融資のポートフォリオで保有する企業やアセットからの排出量削減にコミットしていることになる。

ポートフォリオからの排出量削減手法だが、GFANZではダイベストメント（売却）を推奨していない。ダイベストメントは、株主としての責任を果たさず売却先にその責任を転嫁することになるため、売却先が脱炭素にコミットしない投資家であれば温室効果ガスを排出し続ける結果となるからだ。つまり、GFANZ加盟機関は、実体経済の脱炭素化を念頭に置いている、ということである。

GFANZが推奨する削減方法は、次の三つである。

一つには、前述したように企業とのエンゲージメント活動などを通して企業に排出量削減を働きかけることだが、これは長期的な活動であり、二〇三〇年までに半減させるためには相当な努力が必要である。

二つ目は、温室効果ガスを多く排出する産業や企業を見極めることに加えて、削減計画を立てることである。

いずれの機関投資家も取る一歩目の方策は、ポートフォリオの全体の排出量と、セクターごとおよび企業ごとの排出量の把握である。投融資額に応じてその重要度も変わってくるが、最も排出量が多く、代替技術が比較的安価である石炭火力関連の企業がターゲットに上るケースが多い。ＧＦＡＮＺでは、石炭火力の段階的廃止に関するガイドラインが用意されている。ただし、火力発電所の早期廃止に関する具体的な資金提供のメカニズムは、まだ検討中のようである（二〇二三年一月現在）。また、セクターごとのネットゼロに向けた道筋の確実性や、脱炭素技術に対する理解を深めることも必要だ。

三つ目は、一・五度Ｃ目標に整合する中間削減目標を立てるなど、積極的に気候変動対策に取り組む企業や、そのソリューションを持つ企業を支援することである。

発足当時より加盟機関の数も伸びて順風満帆に思われたが、二二年六月に発表された石炭燃料に関する新たな指針が「いかなるシナリオにおいても、新規の関連プロジェクトはゼロにすること」という厳しい内容であったため、一部の企業からは反発が出た。そこで、九月に発表された改訂版では、ゼロではなくて、「徐々に減らす」という内容に緩められている。

またＧＦＡＮＺは、企業間で協業して化石燃料業界への支援を制限するよう提唱していたが、独占禁止法に抵触しかねないとの法的リスクを懸念する米銀もあったようだ。二二年九月には二つの年金基金が初めてＧＦＡＮＺから脱退した。いずれもリソース不足と報道されている。

加盟企業は、それぞれのイニシアチブ（同盟。例えばＮＺＢＡなど）に進捗状況を報告することになっているのだが、その作業に多くの時間を取られると言われている。

二二年は揺れ動くGFANZであったが、最も重要なことは、目指すところが実体経済の脱炭素化への移行だということである。

金融機関は脱炭素化を実現可能にする資金の提供者であり、その技術や企業の支援者である。資金や支援をどう配分するかは金融機関次第だが、脱炭素技術への目利きや、確実性の高い脱炭素化への道筋に関しては、厳しく評価を行ってほしいものである。さもなければ、中間目標である二〇三〇年時点での排出量半減が難しいどころか、世界的な炭素予算（カーボンバジェット）をオーバーし、実体経済社会に取り返しのつかない影響が及んでしまう。脱炭素化が難しいとされる産業や企業にこそ、積極的に対話・エンゲージメントを行っていくことが大事である。

機関投資家が突きつけたエネルギー転換促進の株主提案

機関投資家から日本企業に、初めて気候変動に関する株主提案がなされたのは、二〇二二年であり、それまでは環境NGOからの提案のみであった。電源開発株式会社（J-POWER）に提出された気候変動に関する株主提案は、欧州最大の資産運用会社のアムンディ、世界最大級のヘッジファンドのマン・グループ、そしてHSBCアセットマネジメントの三社が共同で行ったものである。

彼らの主張は三つ。一つは、電源開発の、二〇五〇年ネットゼロを達成する道筋が科学的根拠にもとづくものであること、およびその短期・中期目標を明記した事業計画の策定と公表である。二つ目は、事業計画の進捗状況を年次報告書で開示すること。そして三つ目に、経営陣の報酬と排出量削減目標の達成とを紐づけること、であった。

つまり、J-POWERが打ち出している削減計画は説得力に欠けているということである。特に「火力発電の脱炭素技術にまつわる経済合理性および実現可能性の確実性のレベルが低い」とされ、今後の設備投資計画は削減目標に整合したものであるべきであって、機関投資家はその整合性を評価するために多くの情報開示を望んでいる、と主張したのだった。

加えて、「本会社の目標が未だにパリ協定の目標と整合していないことは、株主にとって多くの経済的リスクとなっている。科学的根拠に基づく目標を設定し、それを達成するための事業計画を開示することが、かかるリスクに対処し企業価値を保全する上で最良である」と提唱している。

このように海外の株主は、科学的根拠にもとづいた目標設定がない場合は経済的リスクと受け取り、それを避けるためには目標設定だけではなく、その目標を達成するための計画と進捗状況の開示をも求めるのである。

J-POWERが二一年に公表した「ブルー・ミッション（Blue Mission）2050」には、

削減計画自体は開示されている。しかしこのなかでも、二〇三〇年までに四〇%削減するという計画の具体性については不十分と思われる。老朽化した石炭火力発電所の廃止と石炭からCO_2フリー水素発電への移行とで四〇%を削減するとしているが、その他には再生可能エネルギーの加速として一GWの新規開発のみにとどまっている。

原子力発電も挙げられているが、建設中の大間原発は二〇三〇年までに稼働する見込みはまだ立っていない。そうなると、老朽化石炭火力発電所の廃止と水素発電に頼るしかないのだが、どれほどの設備容量が廃止になるかの具体的な記述はない。

また、石炭からのCO_2フリー水素への移行はいくつかの課題があり、その一つがCCS（CO_2を回収・貯留する技術）の技術的課題と適地である。現時点でのCCSの発電所におけるCO_2の最大回収率は九〇%である。したがって技術の向上で回収率が上がり、CO_2フリーを実現するには残りの一〇%をオフセットするなどのコストがかかる。そのうえ、日本には貯蔵する適地が少ないことも課題となっている。

結局のところ、脱炭素の代替オプションがCCS以外にない産業が優先されるべきであり、例えばセメントなどがこれに該当する。

海外では、電力部門は脱炭素化が比較的簡単とされる産業に位置づけられている。それは、再生可能エネルギーのコストが下がったため、脱炭素化への対策としても経済合理性としても再生可能エネルギーのほうが効果的だからである。

次の課題は、輸入水素のインフラとその経済合理性である。石炭や液化天然ガス（ＬＮＧ）に比べて、液化水素は容量密度が小さく、液化水素はＬＮＧの約四〇%、アンモニアは五〇%である。つまり、石炭やＬＮＧの代わりに水素を燃やして同じ発電量を確保しようとすれば、相当な量を確保しなければならない。また製造プロセスの段階が多いので、水素発電に至るまでの行程で元のエネルギー量の半分以下になるとも指摘されている。

そのため、現状のＬＮＧと同程度のエネルギー量を輸送しようとすると、必要になる船はＬＮＧ運搬船の四艘分以上にもなるとされており、燃料輸送だけでＬＮＧの四倍のコストがかかることになる。そのうえに、船などの輸送設備および貯蔵設備、液化・再ガス化設備なども含めれば、インフラを整備するだけでさらにコストがかかることになるため、それに見合うだけの需要量を確保できるかが課題となる。

また、石炭と混焼することが計画されているアンモニアも、水素から製造されるので同じ原理が働き、経済合理性はより悪くなると考えられる。

したがって、これらの情報を得ていると思われる機関投資家は、Ｊ-ＰＯＷＥＲの削減計画がいまだ確立していない技術に依存しているというリスクを抱えることになるため、経済的リスクも大きいと判断するのである。

J―POWERへの株主提案は、株主総会では否決に終わったが、このことは、J―POWERに限らずどの企業にも当てはまることを忘れてはならない。二三年の株主総会に向けて、気候変動提案がなされる前に、前述のエンゲージメント活動が機関投資家から行われるであろう。それにしっかりと応えるべく、多くの日本企業が気候変動に関するガバナンス体制や戦略を整え、開示を行うことを期待したい。

2 グリーン・ウォッシングは市場最大の脅威

正確な気候変動の情報を市場が提供する必要性

気候変動対策に関する情報開示を、上場企業に課す動きが世界で広がりを見せている。シンガポール取引所CEOの Tan Boon Gin 氏は二〇二二年七月に次のように述べている。「グリーン・ウォッシング（上辺だけ環境に配慮しているように装うこと。欺瞞の環境訴求）は最大の脅威である。（投資家が）正しい決断をするために、正確な気候変動情報を市場は提供しなければならない。（中略）提供がなければ、低コストから上辺だけの環境配慮企業を選ぶ投資家や消費者が出てくるであろう。そうなれば、真にグリーンな企業やグリーンな製品は日の目を見

ることがなくなる可能性もある」（『Business Times』誌より筆者和訳）

シンガポール取引所は二三年一月から段階的規制として、産業ごとに気候変動対策の情報開示を求めている。例えば、金融、農業・食品・森林、エネルギーの三産業は、二三年度の活動を二〇二四年に報告書で発行しなければならず、開示する内容はＴＣＦＤ（気候関連財務情報開示タスクフォース）の提言に沿ったもので、産業ごとに適切な気候変動対策情報を開示すること、となっている。そうすることで市場の透明性と信頼性を確保し、グリーンな市場としての評判が保てるのである。

気候変動対策の開示が目的化していないか

現在、日本はＴＣＦＤ賛同社数は世界最大の四〇〇社を超え、あとは中身を充実させる段階になっている。金融機関がポートフォリオ内の企業やアセットからの排出量を把握するためには、企業からの正確でタイムリーな情報開示が不可欠である。投資家が望む気候変動対策の開示は、企業のリスクやビジネスチャンスに直結する内容でなければ意味がない。前述のシンガポール取引所の例にもあるが、産業にとって適切な気候変動対策の情報を開示するべきである。

これまでの環境およびサステナビリティ情報開示は、チェックボックスのように開示項目があり、それを満たしていくだけの作業になっていたのではないだろうか。本来であれば、気候変動は企業の将来にとってどのようなリスクをもたらし、それによる負債額はどれくらいになるのか、そしてそれを上回るだけの新しいビジネスチャンスを生み出すことができるのか、などが議論されるべきである。このような議論は、ＴＣＦＤでも推奨されているように、将来のビジネスに関して責任を持つ経営陣がしっかりと行うべきなのである。

つまり、気候変動に対するガバナンス体制を構築したうえで、気候変動が及ぼす企業にとっての重要なリスクやビジネス機会を、報告書やプラットフォームに適切に公開するべきなのである。例えば、食品業界は、気候変動によって調達する原材料が大きく変わるだろうから、各調達先の気候変動による物理的リスク（洪水や干ばつ、気温上昇など）を広範囲に理解する必要があり、そのための調達先変更や場所の移動など、長期的戦略を立てることが重要となる。

これらは経営方針に大きく影響する。そして、将来的に炭素税が導入される市場では、課税された場合のリスクと、それを防ぐための排出量削減に向けた設備投資とを天秤にかけて、正確なリスク計算が必要となると思われる。

また、排出量削減の設備やサービスを提供している企業では、それが大きなビジネスチャンスとなることになる。

ＴＣＦＤなどの枠組みや、今後導入されるであろう気候変動に関する開示規制は、前述のリスクやビジネスチャンスを投資家やステークホルダーに報告するためのものとなる。したがって、開示資料をサステナビリティ関連のコンサルティング会社にアウトソースして、気候変動のリスクとチャンスを自社で十分に練ることをしない報告書であれば、あまり意味がない。

今後、国際サステナビリティ基準審議会（ＩＳＳＢ）が定めるサステナビリティ関連項目の財務報告基準が制定され、日本で気候変動開示が財務報告書で義務化された場合、企業が気候変動にまつわるリスクと機会を議論した結果の報告でなければ、将来にわたってリスクを被ることになりかねず、そればかりか、大きなビジネスチャンスを逃すことにもつながるのである。

アジア各国で広がるグリーン・タクソノミー

適切な情報開示は、市場に有益な情報を投資家に与えることになる。しかし、開示を企業の行動に任せていては、市場全体の実績は上がらず、また、資本市場側が気候変動に関する目利き力をつけるのにも時間がかかる。そのため、何がグリーンで何がそうでないかを仕分けるガイドラインとして、グリーン・タクソノミー（環境に良いとみなされる経済活動を列挙し、どのような事業や製品が持続可能かを示すもの）を導入する市場も増えている。

なかでも、非常に細かく基準が設定されているものに、欧州のＥＵタクソノミーがある。産業ごとの気候変動の緩和と適応の各分野において、緩和であれば事業の温室効果ガス排出量の基準値やその他の環境汚染物質の管理項目を規定し、適応であれば物理的リスクの特定などを対象企業が行うように規定している。欧州の機関投資家なども、金融商品がEUタクソノミーに準拠しているかを開示することになっている。したがって、この仕組みを使えば、原則的に投資家はグリーン・ウォッシングを防ぐことができるのである。

また、アジア各国でもグリーン・タクソノミーを設定する動きが増えており、東南アジア諸国連合（ASEAN）も、そして加盟各国でもタクソノミーを設けている。その理由として、これらの国々は気候変動の影響を最も受けやすいこと、そして今後経済成長が見込まれるASEAN各国では温室効果ガスの増加も予測され、削減に向けてカーボンニュートラルを宣言する国も出てきたためであると、ASEANタクソノミーは説明している。

ASEANのアプローチは欧州のそれとは異なるかたちを取っており、すべての企業や投資家はデシジョンツリー（決定木）を用いて、事業活動がグリーンなのかレッドなのか、それとも中間のオレンジ（アンバー色）なのかを判断することになる。

さらには、ASEAN全体のエネルギー需要と排出量を勘案し、六つのフォーカス・セクターとして、①農業・森林・漁業、②電力・ガス・熱・エアコン提供者、③製造業、④交通・倉庫、⑤水提供・下水・ごみ処理、⑥建設・不動産を特定している。

そして特徴的なのは、脱炭素を可能にするセクターとして、IT産業、科学技術産業、CCUS（CO_2を回収・貯留・有効利用する技術産業）の、三つの産業を挙げている。

このASEANタクソノミーが基準となって、加盟各国でも同様のタクソノミーが築かれている。つまりASEAN加盟国は、気候変動活動の初期からグリーン・ウォッシングを避けるための措置がすでに敷かれており、将来にわたって気候変動からの物理的リスクを低減するための一歩を踏み出している、と言える。

日本では今のところ、タクソノミーを導入する動きは見られない。日本取引所でのサステナブルファイナンス環境整備検討会でも、必要性は検討されたが時期尚早であるとして議論は前に進まなかった。その代わり、サステナブル債に関する開示を広げ、多くの投資家に活用してもらう用途で日本取引所がデータ整備を行うことになった。開示が広がり、データ活用者が増えれば、ある程度はグリーン・ウォッシングの抑制力が働くかもしれない。しかし、その効果は限定的となるであろう。

3 的外れな日本のトランジション・ファイナンス

削減技術の社会実装に使われる世界のトランジション・ファイナンス

国際資本市場協会は二〇二〇年一二月、トランジション・ファイナンスのガイドラインを発表した。パリ協定で合意した一・五度Cもしくは二度C以下という目標を達成するためには、排出削減を可能にするファイナンスが必要である。とりわけ、排出削減がすぐには困難なセクター（産業分野）は、より大きな削減努力とそれを可能にするファイナンスを必要としている。

このガイドラインでは、そうしたファイナンスを提供する際の推奨要件として、四つの重要な項目を挙げている。一つは、気候変動転換に向けた戦略とガバナンス。二つ目に、環境面でのビジネスモデルにおける具現性。三つ目は、科学的根拠を持つ気候変動に向けた転換戦略。そして最後は、それらの実施の透明性、である。この四つの要件は、二一年五月に設けられた、日本でのクライメート・トランジション・ファイナンスに関する基本指針でも踏襲された。

世界のトランジション・ファイナンスの分野では、このガイドラインが発表される前から、サステナビリティ・リンク・ローンやサステナビリティ・リンク・ボンドが盛んに発行されていた。これらのファイナンスは、使途を特定せずに、ローンやボンドの発行体である企業が定めるサステナビリティ目標値に対して資金提供者と発行企業が合意したうえで、その目標値達成に向けて資金が提供される仕組みとなっている。

目標値を達成すれば金利が下がるので、気候変動が目標設定の一つとなって削減のためのインセンティブが働くのである。

サステナビリティ・リンク・ローンおよびボンド市場は、それぞれ一七年、一八年にゼロから始まった金融商品だが、コロナ禍にもかかわらず二一年には、ローンが五〇二〇億米ドル（六五兆円）、ボンドが一〇八〇億米ドル（一四兆円）と、史上最高の年間発行額を記録している。

サステナブルファイナンス市場全体に占める割合は二三年一月現在、それぞれ二二％と四％である。そのなかでも特に注目したいのは、電力会社を含めたユーティリティの発行が最も多い点である。以下不動産、食品、金融、産業、化学と続く。国別に見ると、米国、イタリア、スペイン、フランス、ドイツと、欧州各国がユーティリティのなかでは多い。

最も代表的な例は、イタリアの電力会社Ｅｎｅｌ（エネル）である。Ｅｎｅｌは、サステナビリティ・リンク・ローン、サステナビリティ・リンク・ボンドをそれぞれ三〇〇億ドル（三・九兆円）、合計六〇〇億ドル（七・八兆円）発行している。Ｅｎｅｌは、二〇三〇年の排出量を一七年比八〇％削減と掲げており、二〇四〇年には脱炭素の実現を目標にしている。日本の電力会社が二〇三〇年に四〇％削減（ＪＥＲＡ）、五〇年にネットゼロを掲げていることに比べても、非常に前向きな姿勢と言える。

Ｅｎｅｌはこの目標値を世界全体で達成することを念頭に、複数の地域でサステナビリティ・リンク・ファイナンス（ローンとボンドの総称）を発行している。例を挙げれば、二〇年に発行した七年物のサステナビリティ・リンク・ボンドでは、目標値として再生可能エネルギーの設備容量に占める割合を二二年には六〇%にする、としている。

日本が推奨するトランジション・ボンドは、二二年に、世界全体で三四億ドル（四四二六億円）しか発行されなかった（二〇二二年一一月までの Climate Bonds Initiative による集計）。これは、二二年に発行されたサステナビリティ・リンク・ボンド全体の四%にしかすぎない。

この理由として、世界で統一された基準がないこと、そして中間地点までのトランジションにファイナンスすることが長期的なトランジション（転換）の妨げになるという疑念があること、が挙げられる。さらには、短期的なファイナンスをした結果、排出量を長期的にロックイン（固定化）することになるか、座礁資産（環境変化により、価値が大きく下落する資産）になる可能性があるためではないか、とも考えられる。

これは企業にとっての大きな潜在的リスクと言えるが、投資家にとっても、ポートフォリオ上の排出量削減につながらない、または削減スピードが遅延するリスクになる、と思われる。

必ずしも削減技術に使われない日本のトランジション・ボンド

前述したように、日本はトランジション・ファイナンスのガイドラインを、金融庁、経済産業省、環境省の三省共同で作成し、経産省がこれをもとに七つのセクター（産業分野）ごとのトランジション・ファイナンス推進に向けた技術ロードマップを作製した。一方、それとは別に、国土交通省も海運、航空分野の脱炭素の行程表を策定している。

さらに、ガイドラインとロードマップに沿って、トランジション・ファイナンスモデル事業として一二のトランジション・ボンドが、経産省のモデル性審査委員会において「お墨付きモデル事業」に選定され、発行されている。

ただし、このトランジション・ファイナンスモデル事業には三つの注意点がある。

一つは、選定されているセクターである。重ねて述べるが、トランジション・ファイナンスは脱炭素達成がすぐには困難であるセクターに提供することを主眼としている。経産省や国交省が指定した合計九つの産業（鉄鋼、化学、電力、ガス、石油、紙・パルプ、セメント、海運、航空）は、脱炭素がすぐには困難なセクターと言えるだろうか。少なくとも電力分野は、環境先進国では脱炭素が困難なセクターとは思われていない。なぜなら、代替技術である再生可能エネルギーが比較的安価に入手できるからである。

もう一つの注意点は、経産省や国交省が設定したセクターの技術トランジション・ロードマップが、世界レベルに達したものであるか、ということである。とりわけ日本では、エネルギー転換や再生可能エネルギーに関する議論において、「世界に比べて固有の事情を保持しているため、それを考慮するべき」という論調が多かった。しかし、技術ロードマップであれば、逆に日本が世界をリードするような構図でなければ、技術立国としての名声は保てないのではないだろうか。

また、技術ロードマップにおける産業界の脱炭素・電化促進の議論でも、日本は再生可能エネルギーの導入が少ないので電化を促進しても大幅な排出削減はできない、という話をよく聞く。しかし、これはまったく逆の話で、つまり「排出削減に向けた電化設備導入の計画を立てるのならば、再生可能エネルギーの大量導入は必須である」という議論にしなければならないのである。

そして三つ目の注意点は、長期的なトランジション（転換）の妨げになっていないか、あるいは長期的な排出量のロックイン（固定化）になり、座礁資産化する恐れはないか、ということである。

モデル事業の一つ、東京ガスのトランジション・ボンドでは、主な資金使途としてＬＮＧ基地新設が、他のプロジェクトとともに入っている。石炭火力発電からの燃料転換ということであるが、トランジション・ファイナンスとして適切かどうか、意見が大きく分かれるところだろう。

ＬＮＧ受け入れ基地の新設は、今後もＬＮＧの使用を継続拡大するという意味を持つ。日本で最も古いＬＮＧ基地は、東京ガスが保有する根岸港で、一九六四年操業開始である。つまり、五〇年以上は使い続けるという意思を示していることになる。

トランジション・ファイナンスのガイドライン要件の一つ「科学的根拠を持つ気候変動に向けた転換戦略」に整合させるためには、当然、脱炭素に向けた計画が科学的根拠にもとづいていなければならない。経産省のガス分野の技術ロードマップでは、カーボンニュートラルLNG、CCUSやメタネーションを用いることとなっている。しかしながら、排出削減目標値の記載はなく、どの時期にどの技術を用いてどれほどのLNGを削減するかの記述もない。したがって、さまざまなプロジェクトのなかにLNG基地が資金使途に含まれていれば、ともすればグリーン・ウォッシング（みなし環境訴求）とみなされる可能性もある。

EUタクソノミーの下、欧州で金融商品を販売する機関投資家は、その金融商品のファンドなどがグリーンか否かを開示する規制の対象となったが、そればかりでなく、そのファンドを構成する企業までもが規制対象になって、グリーン・ウォッシングができない仕組みが構築されている。

前述のとおり、日本ではタクソノミーの導入が検討されていないため、投資家がグリーン・ウォッシングを避けるには、自分の目利き力を高めるか、もしくは開示規制の強化へのポリシーアドボカシー（政策支持・支援）活動をしていく他はないだろう。

4 中長期視点でエネルギー転換を推進する投資家・金融界

日本の戦略は投資家・金融視点で

グローバルで活動する投資家ほど、日本が抱える気候変動対策の大きなリスクに気づき始めている。アジアを代表するG7加盟国でありながら、脱炭素へのロードマップにおいては他の先進国に大きく水をあけられていると感じているのではないだろうか。

その兆候として本章では、気候変動株主提案、グリーン・タクソノミー、トランジション・ボンドを取り上げたが、その背景で大きく影響を与えているのは、エネルギー基本計画やグリーン・トランスフォーメーション（GX）推進法案である。

したがって、海外の投資家が日本に投資する機会を奪うことなく、科学的根拠にもとづいて信頼性を担保した脱炭素ロードマップになるよう、その根幹となる気候変動政策を築いていくべきなのである。短期的にエネルギーの安定供給を重視せざるをえないため排出量が増加するのであれば、その増加量を上回る中長期削減策を大きく打ち出さなければならない。これは政策にかぎらず、エネルギーを多く排出する産業にも当てはまる。

ＧＦＡＮＺに加盟する金融機関と取り引きのある企業は、そのロードマップを科学的根拠にもとづいたものにつくり直し、中長期のビジョンを描くことが重要である。ビジョンを描き、中長期に起こりうる気候変動に関するリスクを洗い出して金額的に推計をすることで、潜在的な気候変動財務リスクの特定や、そのリスク低減に向けた対策の優先順位づけなどが可能となる。

また、脱炭素の技術やサービスを提供している企業は、逆にビジネス拡大の戦略を立て、報告書などを通して投資家に開示していくべきであって、さらにはそれを後押しする政策も必要になると考える。なぜなら、今後、それが日本の国益に直結するからである。

米国ではそれを具現化し、インフレ抑制法を成立させた。補助金や税制控除の仕組みを導入して、クリーンエネルギーや電気自動車関連産業の強化と米国国内生産を重視した政策となり、記録的な気候変動関連投資額となった。

一方、欧州は、国境炭素税の導入を決定し、域内のグリーン商品に対して価格競争力を持たせる方向である。これは、域内で脱炭素に貢献する商品やサービスを扱う業者や脱炭素戦略に舵を切った企業にとっては朗報である。

そのような規制に後押しされるかのように、世界的に、気候変動関連のスタートアップ企業への資金提供も増加の一途をたどっていて、二〇二二年は二一年比で八九％増加し、七〇一億ドル（九・一兆円）となった。国別には米国、欧州、中国、インド、分野としては蓄電池、モビリティー、農業・食品、が金額の多い順である。

日本の機関投資家や企業のコーポレート・ベンチャーキャピタルも、気候変動分野へのスタートアップへの投資に積極的になってきたのではないか、と思われる。それはやはり、脱炭素への直接的貢献と財務的リターンがあるからであろう。日本も世界の投資家から資金提供を受け、脱炭素に大きく貢献するスタートアップや企業が出てくるよう、制度や政策を整えていくべきと考える。

参考資料

環境省、https://greenfinanceportal.env.go.jp/pdf/news_report_221005.pdf
経済産業省、https://www.meti.go.jp/policy/energy_environment/global_warming/transition_finance.html
――、https://www.meti.go.jp/policy/energy_environment/global_warming/transition/transition_finance_case_study_tokyogas_jpn.pdf
電源開発、https://www.jpower.co.jp/news_release/pdf/news220513.pdf
――、https://www.jpower.co.jp/news_release/pdf/news210226_4-3.pdf
東京ガス、https://www.tokyo-gas.co.jp/IR/stock/transitionbond01.html
ASEAN, https://asean.org/wp-content/uploads/2022/06/ASEAN_Taxonomy_V1_final_310522.pdf
BlackRock, https://www.blackrock.com/jp/individual/ja/2022-larry-fink-ceo-letter

Business Times, https://www.businesstimes.com.sg/companies-markets/sgx-regco-mulling-common-digital-format-sustainability-reports-planning-mandate

Climate Bonds Initiative, https://www.climatebonds.net/files/reports/cbi_susdebtsum_highlq32022_final.pdf

Enel, https://www.enel.com/investors/investing/sustainable-finance/sustainability-linked-finance

EU, https://finance.ec.europa.eu/system/files/2021-04/sustainable-finance-taxonomy-faq_en.pdf

GFANZ, https://www.gfanzero.com/

——, https://assets.bbhub.io/company/sites/63/2022/10/GFANZ-2022-Progress-Report.pdf

Holon IQ, https://www.holoniq.com/notes/2022-climate-tech-vc-funding-totals-70-1b-up-89-from-37-0b-in-2021

ICMA, https://www.icmagroup.org/assets/documents/Regulatory/Green-Bonds/Climate-Transition-Finance-Handbook-December-2020-091220.pdf

IEA, https://www.iea.org/articles/zero-emission-carbon-capture-and-storage-in-power-plants-using-higher-capture-rates

Michael Liebreich, https://about.bnef.com/blog/liebreich-the-unbearable-lightness-of-hydrogen/

SGX, https://www.sgx.com/sustainable-finance/sustainability-reporting

State Street Global Advisors, https://www.ssga.com/library-content/pdfs/ic/proxy-voting-and-engagement-guidelines-us-canada.pdf

第8章

メッセージ
日本の生き残る道

1 政府の無作為を超えて――エネルギー政策を再生させる道

「戦略も司令塔も不在」

筆者は、拙著『エネルギー・シフト　再生可能エネルギー主力電源化への道』（白桃書房、二〇二〇年）の一節で、以下のように述べた。少し長いが、日本政府のエネルギー政策に対する無作為を指摘するもととなる考えなので、ここに披瀝する。

「日本の原子力開発は、〔国策民営方式〕で進められてきた。福島第一原発事故のあと、事故を起こした当事者である東京電力が、福島の被災住民に深く謝罪し、ゼロベースで出直すのは、当然のことである。ただし、それだけですまないはずである。国策として原発を推進してきた以上、関係する政治家や官僚も、同様にゼロベースで出直すべきである。しかし、彼らは、それを避けたかった。そこで思いついたのが、『叩かれる側から叩く側に回る』という作戦である。

この作戦は、東電を〔悪役〕として存続させ、政治家や官僚は、その悪者をこらしめる〔正義の味方〕となるという構図で成り立っている。うがった見方かもしれないが、その悪者の役回りは、やがて、東電から電力業界全体、さらには都市ガス業界全体にまで広げられたようである。一方で、政治家や官僚は、火の粉を被るおそれがある原子力問題については、深入りせず先送りする姿勢に徹した。このように考えれば、福島第一原発事故後政府が、電力システム改革や都市ガスシステム改革には熱心に取り組みながら、原子力政策については明確な方針を打ち出してこなかった理由が理解できる。熱心に『叩く側』に回ることによって、『叩かれる側』になることを巧妙に回避しようとしたのである（誤解が生じないよう付言すれば、筆者は、電力や都市ガスの小売全面自由化それ自体については、きわめて有意義な改革だと評価している）。

結果として、福島第一原発事故後九年近く経過したにもかかわらず、原子力政策は漂流したままである。（中略）次の選挙・次のポストを最重要視する政治家・官僚の視界は、三年先にしか及ばない。しかし、原子力政策を含むエネルギー政策を的確に打ち出すためには、少なくとも三〇年先を見通す眼力が求められる。このギャップは埋めがたいものがあり、そのため、日本の原子力政策をめぐっては、戦略も司令塔も存在しないという不幸な状況が現出するにいたったのである」（同書67－68頁）

この文章で問題にした閉塞状況は、本節を執筆している二三年一月時点でも、継続したままである。二二年八～一二月には「岸田文雄政権による原子力政策の転換」が喧伝されたが、それが実際には「政策転換」に値しないものであることは、本書の第1章で指摘したとおりである。

繰り返される政府の無作為

二〇二三年から二四年にかけても、懸念される電力危機への対応に関しては、政府の無作為が繰り返されている。

電力危機への対策として、政府が特に力を入れてきたのは、原子力発電の再活用である。岸田首相は、二二年七月に、二三年一～二月の電力不足を乗り切るために、九基の原発を動かすと宣言した。さらに、一カ月後の二二年八月には、原子力規制委員会の許可（原子炉設置変更許可済み）を得ながら再稼働を果たしていない七基の原子炉について、二三年夏・冬（二〇二三年一二月～二四年二月）以降の再稼働を実現する、との方針を表明した。

しかし、この表明に関してはいくつかの疑義がある。まず、首相が二二年七月に動かすと宣言した九基について言えば、それらはすでに再稼動を果たしていたものばかりであった。特重施設設置工事や点検、修理のために一時的に運転を停止していたケースはあったものの、二三年一～二月には稼働することがすでに織り込み済みの原子炉であった。

端的に言えば、首相がどうこう言う前に、動くことは決まっていたものである。にもかかわらず岸田首相は、あたかも自分の決断で動かすかのような言い方をしたのである。

次に、再稼働を果たしていない七基だが、そもそも二二年八月に岸田首相が方針表明したときから、これらの再稼働に政府がどうコミットするのかは、きわめて不明確であった。

原子力規制委員会の許可を得ながら再稼働を果たしていない七基の原子炉のうち、東京電力・柏崎刈羽6、7号機は、東京電力の不祥事によって規制委員会の許可自体が事実上「凍結」された状態にある。日本原子力発電・東海第二は、裁判所の裁定によって運転が差し止められている。

残りの四基、つまり東北電力・女川2号機、関西電力・高浜1、2号機、および中国電力・島根2号機については、運転再開に関する地元自治体の了解も取りつけており、再稼働へ向けての準備が進んでいる。ただし、女川2号機と島根2号機については、再稼働のために必要な工事が二三年夏・冬までに完了しない。

したがって、柏崎刈羽6、7号機、東海第二、女川2号機、島根2号機の五基は、政府の強力なコミットがないかぎり、二三年夏・冬における再稼働が実現しないことになる。にもかかわらず岸田政権は、これら五基の再稼働に対して、これまでのところコミットらしいコミットをほとんどしていない。結果として、これら五基の原発は、二三年夏・冬の電力危機解消には役に立たない見通しなのである。

今回の事例が示すように、岸田政権は、原子力に関してポーズを取るきらいがある。表向きは、原子力が電力危機克服の「切り札」となり、政府がそのためにリーダーシップを発揮するかのように派手にぶち上げるが、必要な具体的施策は何ら講じない。そのこともあって、肝心の原発の電力危機解消効果も、すでに織り込み済みだった域を超えることなく、限定的なものにとどまっているのである。

再生可能エネルギーを政策の基軸に据えることの重要性

以上のように、エネルギーに関する政府の無作為が顕著になるのは、原子力をめぐってである。

政治家にとって、原子力は厄介なしろものである。国論が二分している状況の下で、選挙の際に、強く推進を表明しても強く反対を主張しても、いずれも票を減らす可能性が高い。政治家から見れば、選挙時にはできるだけ原子力に触れないでおくのが「得策」なのであり、その結果、問題はどんどん先送りされ、成されるべき改革は行われず、原子力政策は漂流したままとなるのである。

官僚、特に所管官庁である経済産業省資源エネルギー庁の官僚のなかには、しっかりとした原子力政策を進めたいと考える人々も、もちろん存在する。しかし彼らも、選挙を気にする政治家（特に首相官邸）の意向を忖度せざるをえない。次のポストに関わるからだ。こうして官僚もまた、原子力政策の漂流に飲み込まれてゆくのである。

例えば、二〇二二年八〜一二月の局面でも、資源エネルギー庁は、本気で次世代革新炉の建設を志向した。しかし、岸田政権が二二年末までに政治決断したのは、既設炉の運転期間延長だけであり、次世代革新炉の建設に関しては具体的な方針すら示すことがなかった。既設炉の運転が延長できるのであれば、電気事業者は、わざわざ高いコストをかけて次世代革新炉を建設するはずがない。二二年末の岸田政権による運転期間延長方針の決定は、皮肉なことに、革新炉建設を遠のかせる逆機能を発揮したことになり、資源エネルギー庁は「はしごを外された」格好になったのだ。

それでは、日本のエネルギー政策は、このような閉塞状況からどのようにして脱却すればよいのだろうか。この問いに対する答えは、それほど複雑ではない。

エネルギー政策の基軸を、原子力から再生可能エネルギーへ本格的に移行すればよいのである。一八年に第5次エネルギー基本計画を策定したとき、日本は、再生可能エネルギーを主力電源化する方向へ舵を切った。この方向性を、今こそ徹底すべきなのである。

ロシアのウクライナ侵略がもたらした電力危機に、主として原子力で対応しようとする政府の方針は、新しい方向性と齟齬を来している。本来は、電力危機の打開策として再生可能エネルギー電源の拡充をどのように急ぐかという点が、もっと真剣に論じられるべきなのである。「再生可能エネルギー主力電源化」とはつまり、「原子力副次電源化」のことである。あまり肩肘を張らずに、エネルギー政策全体に占める原子力政策のウエイトを引き下げるべきである。そうすれば、日本のエネルギー政策は、閉塞状況から脱却し、再生への道を歩み始めると思われる。

（橘川武郎）

参照文献

橘川武郎（2020）『エネルギー・シフト　再生可能エネルギー主力電源化への道』白桃書房

2　カーボンプライシング＝炭素排出に価格をつける

GX推進法の下でのカーボンプライシング

二〇二三年の通常国会に提出された「脱炭素成長型経済構造への円滑な移行の推進に関する法律（GX推進法）」の目玉の一つが、カーボンプライシング＝炭素の価格づけである。具体的には、二〇二八年度から、炭素に対する賦課金（化石燃料賦課金）を導入することになり、「経済産業大臣は、化石燃料の輸入事業者などに対して、輸入などする化石燃料に由来する二酸化炭素（CO_2）の量に応じて、化石燃料賦課金を徴収（11条）」し、さらに、二〇三三年度から、排出量取引制度を導入することになった。また、発電事業者に対して、「一部有償オークションでCO_2の排出枠（量）を割り当て、その量に応じた特定事業者負担金を徴収する（15〜17条）」として、その詳細な制度設計については、この法律の施行後二年以内に、必要な法制上の措置を行うこととなっている。

炭素の価格づけが脱炭素社会への移行を促進する

炭素の排出に価格をつけることで、炭素排出に伴う社会的費用が製品やサービスに内部化され、製品・サービスの相対的な価格を押し上げる。そして、炭素排出の多い製品・サービスの価格が上がることにより、炭素を排出しない製品・サービスがコスト競争力を高め、市場で選択されることになるというわけである。

実証研究も示すように[1]、エネルギー価格が高くなると、エネルギー効率の高い技術の導入と開発が進展するという、エネルギー価格の上昇とエネルギー効率の高い技術の導入拡大とには正の相関関係がある。二〇二二年二月に始まったロシアのウクライナ侵攻以降の化石燃料価格の高騰が、政策導入と相まって、太陽光や風力など再生可能エネルギーやヒートポンプなど、クリーンエネルギー技術の導入を加速させている。

また、炭素の価格づけは、こうした技術の普及だけでなく、炭素を排出しない、炭素効率性の高い新しい技術の開発・投資を促進する効果ももたらしうる。炭素の価格が将来に向かって中長期的に高くなるように炭素の価格づけを行うことで、炭素をより排出しない技術の研究・開発への継続的で持続的なインセンティブを与えることができるのである。

特に、エネルギーインフラのように寿命の長いインフラや資産への投資や、投資リスクの高い今はまだない技術の開発への投資にあたって、将来に向かって上昇する炭素価格は、将来にわたる炭素排出のコストを統合した投資判断を行う指針となる。

このように炭素の価格づけをうまく利用することで、現状からより炭素を排出しない経済・社会に移行していくインセンティブを与え、移行を促すことができる。

炭素国境調整メカニズム（CBAM）

昨今の炭素の価格づけの議論に影響を与えているものの一つに、輸入品に国内と同等の炭素価格を課すことで、炭素リーケージ（carbon leakage）[2]の恐れを低減し、輸入を通じた世界の排出増を抑制しようとする動きがある。

ＥＵは、対象となる製品をＥＵ域外から輸入する域内の輸入者に対して、域内で製造した場合にＥＵ排出量取引制度の下で課される炭素価格に対応した価格の支払いを義務づける炭素国境調整メカニズム（Carbon Border Adjustment Mechanism：ＣＢＡＭ）を二〇二三年一〇月より導入する予定である。

第一段階として、鉄鋼、セメント、アルミニウム、肥料、電力、水素が対象となるが、その後、ＥＵ排出量取引制度の下で対象となるすべての産品に対象を拡大していく予定にある。対象となる製品の輸入者が支払う額は、その製品が製造される過程で支払われた炭素価格との差分となる。ＣＢＡＭを導入するＥＵが製品の製造国における炭素価格を評価するが、これにより炭素価格の水準が、ＥＵへの製品の輸出の際の支払いの水準を決め、製品の価格競争力に影響を与えることになる。

気候変動関連財務情報の開示と炭素価格

短期的収益性だけでなく、気候変動を含むサステナビリティ課題に対してどのように対処しているか、にも注目して投融資を行うＥＳＧ投資の動きが拡大している。こうした投融資を促進するには、投融資先となる企業が関連する気候変動を含むサステナビリティ情報を開示することが必要になる。

気候変動関連情報の開示は、Ｇ20の下に設置された気候変動関連財務情報開示に関するタスクフォース（ＴＣＦＤ）による指針が二〇一七年に公表されて以降、急速に広がっている。企業は、脱炭素社会に移行する際に生じうるリスクと機会を評価し、開示することが要請されるが、そのリスク評価にあたっては、シナリオを用いて企業がその移行リスクを分析・評価している。その際に、将来の炭素価格も参照しつつ、企業の事業や資産にもたらされうるリスクと機会の分析が行われている。

例えば、しばしば企業に参照される国際エネルギー機関（ＩＥＡ）のネットゼロシナリオでは、炭素価格は、五〇年までにCO_2一トン当たり、先進国で二五〇米ドル、中国、ブラジルなど新興国で二〇〇米ドルまで上昇するといった水準が想定されている。また、自社の投資などを判断する際の指標として、企業が内部炭素価格を設定する事例も広がっている。[3]

エネルギーの脱炭素化へスムーズな移行を加速するカーボンプライシングの設計を

日本の温室効果ガス（ＧＨＧ）排出量の約八五％がエネルギー起源のCO_2であることに照らせば、ＧＸ推進法の下での制度を含め、二〇五〇年カーボンニュートラルに向けて日本のエネルギー転換を促し、加速させるカーボンプライシングのあり方をしっかり検討する必要がある。

企業が排出を低減しつつ、事業を行うことが、資本市場やサプライチェーンにおける企業の評価に影響を与えるようになった。前述のＣＢＡＭへの対応も含めて、エネルギーの転換・脱炭素化は、日本の産業の競争力を左右する問題になっている。

脱炭素社会に向けて社会経済をスムーズにつくり替えていくために、適切な炭素の価格づけは、企業や消費者など市場の選択を変え、しいては企業の技術開発や投資を中長期的な炭素排出の影響を考えたものに変えていく効果をもたらしうる。

こうした選択や行動の変容を引き起こすには、支払いを行う者にとって炭素価格ができるかぎり明確に示されることが効果的だ。そうした観点から、炭素の排出に比例した支払いとなるように、税制など現行の制度も含めて政策全体を見直すことが必要である。

脱炭素に向かう社会と市場に企業が対応し、スムーズに移行していくのに必要な技術開発や投資を促していくためにも、世界の平均気温の上昇を一・五度Ｃまでに抑えるという国際社会が目指す長期目標「２０５０年カーボンニュートラル」社会の実現の道筋と整合的で今後厳しさを増す炭素制約に相応して中長期的に上昇していく炭素価格の見通しをしっかり示していくことも必要である。

二〇二三年三月に公表された気候変動に関する政府間パネル（ＩＰＣＣ）第６次評価報告書統合報告書によれば、パリ協定が定める一・五度Ｃ目標、二度Ｃ目標の達成には、遅くとも二〇二五年までに世界のＧＨＧ排出量を頭打ちにし、その後も急速に排出を削減することが必要であるとしており、それゆえ直ちに削減対策を取ることが必要となる。

その観点からは、ＧＸ推進法の下での二八年度、三三年度という賦課金の導入や排出量取引制度の導入のタイミングでよいのか、前倒しや導入前の施策の強化の可能性などを検討する必要があろう。

併せて、炭素の価格づけに伴って得られる収益（税収や排出量取引によるオークション収入など）を、地域の雇用対策などの移行に伴って生じうる社会課題への対処も含めて、公正で包摂的な移行を進めるために活用することも検討すべきである。

（高村ゆかり）

注

1 Ambec S., Cohen M. A., Elgie S., Lanoie P., The Porter hypothesis at 20: can environmental regulation enhance innovation and competitiveness?, *Review of Environmental Economics and Policy* (2013)

2 炭素リーケージとは、ある国が国内でCO_2の排出削減対策を取り排出量が減っても、当該国の国外においてCO_2が増加することをいう。

3 環境省「インターナルカーボンプライシング活用ガイドライン——企業の脱炭素投資の推進に向けて（二〇二二年度版）」https://www.env.go.jp/content/000116507.pdf

3　二〇五〇年に向けたクリーンエネルギー技術の見極め

電力から水素、メタンへ——E to Gへの道

二〇三〇年までのエネルギー技術は、やはり電力中心にならざるをえない。しかし、二〇五〇年に向けてと言うなら、むしろ他のエネルギー、具体的には水素やメタンなどの利用がカギとなる。ただし、これらもグリーン水素であることが大前提であると考える。

世界的に再生可能エネルギー電力の導入拡大が進めば、コストではなくプライスの点で最終的に〇円／kWhの電力が調達できる時代がやって来る。そうなれば、E to G（電気からガスへ）の可能性も十分見えてくる。現状のコストではE to Gの現実味が感じられないかもしれないが、二〇五〇年までの技術開発で解決可能なことと、同年までに技術開発が見込めないものに分けるとすれば、E to Gは間違いなく前者である。しっかり準備しておく必要がある。

グリーン水素の低コスト化が進めば、水素還元製鉄の経済合理性も出てくる。現在の技術では水素還元製鉄は非常に難しいが、原理的に不可能というわけではない。現状では地道に研究を積み重ねる必要がある。同様に、アンモニア合成についてもブレークスルーが必要になるで

あろう。アンモニアは、水素キャリアとして使うよりは農業生産における需要のほうが大きく、この部分での脱炭素化も製鉄分野と同様に重要である。そして、この分野での化学研究は、今後も重要性が増すと思われる。

さらにここでは、水素だけでなくメタンの価値についても触れておきたい。グリーン水素からつくるグリーンメタンが実用化できれば、既存のインフラやガス機器がそのまま利用できるばかりでなく、安全性も十分に担保される。災害等を考えた場合にも電力の一本足打法は危険であり、二〇三〇年以降の都市ガスのインフラの有効活用は十分考えておく必要がある。

またメタンは、さまざまなバイオマスの発酵技術によっても調達できるものなので、入手経路の多様化が図れる利点もある。また、バイオマスのメタン発酵では事後にメタンと二酸化炭素（CO_2）が出てくるが、このときに出たCO_2の濃度は、火力発電で排気されるCO_2濃度よりも高いので、高濃度CO_2原料としての利用価値もある。この部分については、多様な可能性があるので、現段階では幅広く基礎研究を進め、多様な選択肢を用意しておく必要がある。

化石燃料を使いつつカーボンニュートラルを進めるにはCCS（CO_2の回収と貯留）が必要との議論があるが、筆者の見解は少々異なる。CCSの実証事業の進展はもちろん承知しているが、火山性ガスの噴出による事故があることなどを考えれば、気体の地中貯留は長期の安全性を考える際には疑問が残る。

特に日本の場合、コスト、規模感、立地などの問題が解決しているわけではなく、現状でブルー水素やグレー水素に投資したとしても、これらにもとづくサプライチェーンはグリーン水素のそれとは異なるものになるので、最終的にグリーン水素がゴールになれば無駄な投資になってしまう。他の選択肢としてターコイズブルー水素もあるが、それが実用化できるかどうかは、もう少し見極める必要がある。

この他、人工光合成による水素生成もコストや生産量の問題があり、二〇三〇年までは基礎研究にとどまると考えられる。最近、レーザー核融合で入力エネルギーの一・五倍の出力が出たと大きく報道されたが、そもそも投入電力エネルギーに対するレーザー発振効率が低く、発生する熱の電力への変換効率もカルノー効率（蒸気機関の作業物質は水蒸気だが、これを他の物質にしても最大効率は変わらないとする理論）は超えられないので、現状では大騒ぎするほどの研究成果ではない。

課題解決には自治体、電力会社、企業の垣根を越えた連携が必要

一方、二〇五〇年に向けては電力系統やその運用についても、大きな課題が残る。日本では、建前上は大手電力会社の発・送電分離が完了しているはずなので、少なくとも東日本の五〇Hz地域と西日本の六〇Hz地域の送電会社をそれぞれ統合し、非常時に電気の貸し借りができ

るよう東西の連系を強化するとともに、送電網の中立化を進めるべきなのである。しかし実際には、大手電力会社が送配電を担う子会社の顧客情報を不正閲覧するなど、既存の大手電力会社の組織的枠組みがもたらす不祥事も明らかになっている。

したがって、場合によっては送配電会社の強制合併と国有化も視野に入れる必要がある。内閣府の「再生可能エネルギー等に関する規制等の総点検タスクフォース」では、この状況を公正な競争を揺るがしかねない深刻な事態ととらえ、送配電子会社を大手電力から切り離す「所有権分離」が必要としているが、それでも不十分かもしれない。したがって二〇五〇年に向けては、送配電会社の強制合併と国有化も視野に入れる必要があると考えるのである。

また日本の場合、全発電量の七〇%は産業分野で利用されているが、GHGプロトコル（温室効果ガスの排出量を計算し報告するための国際基準）における「スコープ3（自社を含むサプライチェーン上の事業者や製品・サービスの使用者が、間接的に排出する温室効果ガス量）」の排出量削減を考えたとき、二〇五〇年には輸送用燃料の電化と同時に、電力の一〇〇%再エネ化も必要になるであろう。

この点では、自治体、電力会社、企業の垣根を越えた連携が必要になる。例えば、多くの自治体で未利用の産業用地を抱えているが、自治体主導でそれらの土地に太陽光発電を設置し、自治体がPPA（電力販売計画）事業でその産業用地を使う企業に再エネ電力を供給するという手法も考えられ、さらには、既存のＰＰＡ事業者にその運用を任せることもできる。オフサイトＰＰＡ事業者には、託送料分を税控除するという方法もある。日本は、今後も再生可能エネルギーの主力を太陽光発電が担わざるをえない状況にあるので、その分野の事業者が安心して事業展開できる体制を組むことが重要である。

第3章で言及した軽量かつ高性能のペロブスカイト太陽電池は今後急速に発展しそうな技術である。現在は世界中の研究者が取り組み、一〇〇〇億円を超える大型の投資も複数進んでいる。この技術が実用化されれば、太陽光発電の設置場所も格段に増えると考えている。

これからは「脱炭素」だけではなく、「炭素循環技術」に注目する必要がある。最後に残るのは「華やかな技術」や「儲かる技術」ではなく、「本当に必要な技術」だけである。

（瀬川浩司）

4　脱炭素地域づくりのインフラとして欠かせないＥＶ

第4章で、ＥＶを普及しＶ2Ｇにより運輸部門とエネルギー部門をセクターカップリングすることで、両部門の脱炭素化と脱石油によるエネルギー安全保障が図れる、と述べた。セクターカップリングという視点を持つことで、ＥＶの普及はさまざまな相乗効果をもたらすわけだが、そればかりでなくＥＶは、脱炭素地域づくりのインフラとしても重要な役割を担うことが見込まれる。

カーボンニュートラルには再エネが必須であるが、周知のとおり再エネは地域に吹く風や照りつける太陽光などを活用する地域由来のエネルギーであるため、その活用においては理解や協力といった地域住民の主体的な関与が必要となる。一方、近年、大規模な太陽光発電設備の設置による景観破壊の問題などが表面化してきており、再エネ発電設備の設置に抑制的な条例を施行する自治体も増えてきている。このままでは日本の再エネ普及にブレーキがかかりかねないという懸念があり、いかにして地域主体の再エネ事業を生み出すか、が日本の再エネ普及の命題と言える。

住民主体で推進する営農型太陽光発電事業

再エネ普及で先行する欧州では、地域住民が出資して事業を担うなど、地域の再エネ事業の普及が、地域の利害関係者が主体的に推進する「コミュニティーパワー」と呼ばれるかたちで進んでいる。再エネの普及途上である日本では、完成された欧州のコミュニティーパワーのような事例はまだ浸透していないものの、それでも先駆的な取り組みが生まれてきている。

例えば、千葉県北東部の匝瑳《そうさ》市に所在する「市民エネルギーちば」という会社は、荒廃農地を活用した営農型太陽光発電事業（ソーラーシェアリング）を地域住民の主体的な参加により実施している。

千葉県匝瑳市飯塚・開畑地域では、かつては八〇万㎡に及ぶ農地で農業が営まれていたが、農家の高齢化などで徐々に耕作が放棄され、二〇一四年時点で約四分の一に当たる二〇万㎡ほどが荒廃農地となっていた。さらに荒廃農地に不法廃棄物が投棄されるなどの問題も発生し、長きにわたり地域の問題となっていた。

こうした問題を憂慮した地域の農業生産者を中心とした有志が、一四年に「市民エネルギーちば合同会社」を設立（一九年七月に「市民エネルギーちば株式会社」に社名変更）。採算性が悪く農業を続けられなくなった土地を利用して営農型太陽光発電事業を実施することで、脱炭素の推進と荒廃農地の再生に取り組んでいる。

営農型太陽光発電とは、農地に約三ｍの背の高い太陽光パネルを設置して再エネ発電事業を行う一方、パネルの下では農業を行うという、農業と再エネ発電事業を両立させる取り組みである。営農型太陽光発電について、一般社団法人太陽光発電事業者連盟（ＡＳＰＥｎ）が二一年四月に公表した提言は、荒廃農地を含む国内の農地面積のうち約二％に当たる一〇万haに営農型太陽光発電を導入することで、農作物の生産を損なうことなく年間一〇〇〇億ｋＷｈの発電が可能としており、高いポテンシャルが期待されている。

「市民エネルギーちば」の取り組みは地域で広がり、同社が関わる匝瑳市飯塚地域の営農型太陽光発電の設備容量の合計は三七五四ｋＷ（二二年一〇月現在）に達するまでになっている。太陽光パネルの下では大豆や大麦が栽培され、売電収益と合わせて地元の農業生産法人の収入安定化にも寄与している。また売電収益を基金として、地域住民による「豊和村つくり協議会」が立ち上げられ、環境保全や営農支援、子どもの教育支援など、地域貢献活動も盛んになっている。

さらに「市民エネルギーちば」は、太陽光パネルの下で育てた作物を使って味噌などの加工品や菓子の開発・販売を行う子会社を設立し、農作物の六次産業化を図ることで地域雇用の創出にも貢献している。

「市民エネルギーちば」の取り組みは、脱炭素経営を進める企業からも注目され、企業が「市民エネルギーちば」へ出資協力することで自社の営農型太陽光発電所を設置し、そこから自社向けに再エネ電力をＰＰＡ（Power Purchase Agreement：電力販売契約）により調達することも行われている。

地域マイクログリッドとエネルギー源に欠かせないＥＶ

こうした地域主体の再エネ活用の取り組みをさら発展させるため、「市民エネルギーちば」

は、経済産業省の支援を受け、ＥＮＥＯＳホールディングスと協働で、営農型太陽光発電を中心とした地域マイクログリッドを構築する事業（以下、支援事業）も実施している。

匝瑳市は、二〇一九年九月、台風一五号の影響により広範囲で停電に見舞われた。その際、「市民エネルギーちば」は、営農型太陽光発電を電気機器の充電拠点として地域住民に開放するなど、災害対応にも貢献した。

こうした経験を活かし、匝瑳市北部の豊和地区を対象地域として、営農型太陽光発電、屋根置き太陽光発電、もみ殻バイオマス発電、ガスコージェネレーション、蓄電池、電気自動車（ＥＶ）、ＥＶに蓄えた電力を住宅に供給して活用するビークルトゥホーム（Ｖ２Ｈ：Vehicle to Home）充放電設備、そしてそれらをコントロールするエネルギーマネジメントシステム（ＥＭＳ）を導入し、災害などにより電力系統に支障を来した状況においても電力の地産地消と脱炭素を実現する、持続可能な地域マイクログリッドを構築する計画である。

計画では、マイクログリッド対象地域から三一㎞離れた匝瑳市役所と「ふれあいセンター」にＶ２Ｈ充放電設備を設置し、対象地域内の営農型太陽光発電などで発電した電力をＥＶに蓄電して対象地域外となる市役所と「ふれあいセンター」まで運び電力供給するという。これによって、ＥＶをエネルギー源として活用することを実証する予定だ。

「市民エネルギーちば」は将来的に、①主要な地域交通としてのＥＶの普及、②軽トラックやトラクターなどの農業車両・機械のＥＶ化、③Ｖ２Ｈの普及を実施することで、地域内の交通、農業、住宅にわたる三つの部門で使うエネルギーを、ＥＶを介して営農型太陽光発電の電力で賄う、なども構想している。

これが実現すれば、ＥＶが地域のエネルギー源として、地域交通、農業、家庭の脱炭素化とエネルギー自給率向上を促進する主要な役割を担うことになり、地域主体の脱炭素地域づくりのインフラとしてのＥＶは欠かせないものとなる。

政府は二〇三〇年度までに民生部門（家庭部門および業務その他部門）の電力消費に伴うCO_2排出を実質ゼロにするなど、カーボンニュートラルを実現するモデル地域として「脱炭素先行地域」の選定を進めている。これまでに選定された地域の多くでＥＶを地域づくりに活用することが計画に盛り込まれていることから、異次元のエネルギーショックに対処するためのモビリティー政策として、ＥＶは地域主体の脱炭素地域づくりに欠かせない役割を果たすことは間違いない。

（平沼　光）

参考文献

平沼光（２０２３）『研究報告 ＣＳＲ白書２０２２年別冊 カーボンニュートラルに向けた地域主体の再エネ普及と企業の貢献』東京財団政策研究所

5 脱炭素社会に向けた住宅・建築物の省エネ対策

省エネルギー・高効率化で忘れてはならない断熱性

世界のエネルギー情勢が大きく変動するなか、日本に重要なのは、エネルギーの安全保障を維持しながら徹底的な省エネルギーを実施すること、そして再生可能エネルギーを可能なかぎり利用し、エネルギー自給率の向上を図ることで脱炭素社会を実現することである。

ＯＥＣＤ諸国の非化石電力割合はすでに五〇％程度に達しているのに対し、日本は二〇一九年で再生エネルギーが約一八％、原子力が約六％と、欧米諸国の約半分にしかなっていない。

もし二〇三〇年の段階で原子力が二〇～二二％に達しなかった場合、不足する部分をさらなる再生エネルギーの導入で補塡するしかない。しかし、二〇三〇年度までに計画されている再生エネルギー導入目標はきわめて高く、再エネ設備設置場所の一部では反対する動きすら生じている現状にある。

トランジションとしてのＬＮＧの役割は非常に重要であるが、ロシアのウクライナ侵攻がもたらす争奪戦は激しさを増しており、このうえ万が一にもアジアで有事が発生すれば、より深刻な事態となることは明らかである。

太陽光発電や風力発電などは、世界のほとんどの地域ですでにコスト競争の段階に入っている。日本ものんびり構えてはいられない状況にある。しかし、だからこそ、住宅・建築・都市が省エネ・創エネに果たす役割は非常に大きいと言うことができる。

イスラエルの歴史学者ユヴァル・ノア・ハラリは、「人類がこれまで歩んできた歴史は、『飢饉、疫病、戦争』の克服であった。第二次世界大戦後の現代社会は、これら三つの人類の大敵を克服しつつある」と、その著書『サピエンス全史』（河出書房新社）で述べていたが、この発言は、今後数年で無効になりそうである。そうした世相であるからこそ、万人の幸福を求めようとするSDGsの精神が必要であり、同様にエネルギーの分野では、第二の発電所と言われる省エネがやはり必要なのである。

自動車は一〇年、スマホも五年程度で買い替えられるが、建築物が建て替わるには平均五〇～七〇年ほどかかる。二〇五〇年を迎えても、現在建っている建物の多くは残っているはずである。したがって、新築ばかりでなく、既存建築のカーボンニュートラルを考えることも、欠かすことのできない重要事なのである。現在、断熱措置が基準に達している住宅は、全住宅のうち一三％しかない。寒すぎる住宅や暑すぎる住宅に住むことで健康被害を起こすなど、とても先進国の状況とは言えない。

国交省、経産省、環境省の三省合同による「脱炭素社会に向けた住宅・建築物の省エネ対策等のあり方検討会」では、戸建住宅には断熱性能基準を設置・義務化し、さらに高い水準を目指すべきである、という議論がなされた。

高度の断熱化を目指すためには、要求性能を満たす建材が必要であり、なかでも重要性の高いものに、高性能で価格も手ごろな窓ガラスやサッシがある。木造戸建住宅では、一般的にガラス総板厚みが一〇㎜以下の複層ガラスが使用されることが多い。国産ガラスを生産する板硝子協会三社の一〇㎜以下の複層ガラスが備える低放射（Ｌｏｗ－Ｅ）化率は、〇五年には二六・七％だったが、二〇年には七〇・〇％まで増加している。

Ｌｏｗ－Ｅガラスは、表面を特殊な金属膜でコーティングしてあり、日射熱や暖房の熱を吸収・反射することによって断熱性能を向上するものである。複層ガラスは、ガラスとガラスの間にアルゴンガスなどを封入して合わせたもので、こうすることによって熱を通しにくくする。この複層ガラスのガス封入率は、〇五年にはわずか二・三％だったが、二〇年には三五・四％まで上昇している。

また、新築木造住宅に使用される高断熱サッシ化率も急速に向上しており、〇五年には約七〇％あったアルミ製サッシが、二〇年には約一〇％まで低下し、九〇％近くがアルミ樹脂複合サッシや樹脂サッシなどの高断熱サッシに替えられてきている。住宅を建てる多くの人が、省エネや健康に及ぼす断熱性能の重要性を認知するようになってきたことが理由と思われる。建材トップランナー制度や省エネ住宅ポイント制度、さらには住宅トップランナー制度なども効果を発揮していると推察している。

しかし、これで満足してはいけない。ZEH基準の二〇%省エネルギーを達成するために必要となる、温暖地での窓の熱貫流率は二・三W／㎡・K（熱貫流率の単位）であって、そのためにはアルミ樹脂複合サッシと中空層一〇㎜以上のLow-E複層ガラスが必要になる。さらに三五%の省エネを目指そうとするならば、熱貫流率は一・三W／㎡・K程度まで下げる必要がある。

これまで、窓の断熱性能表示制度では熱貫流率二・三W／㎡・K以下が最高等級とされ、より以上に高性能な製品を生産しても評価されなかった。今回、上位基準の設定が行われたこともあるが、ガラスおよびサッシメーカー諸社には市場ニーズを先取りして、脱炭素や居住者の健康に貢献する製品を率先して開発してほしい。

運用時だけでなく建設段階でもカーボンニュートラルを

ZEBは、ビルディングなどの建築物について、運用時のエネルギー消費量をネットゼロにする基準である。しかし、運用時のゼロ化だけでは不十分になる時代がいずれ到来する。スマホや自動車がすでにサプライチェーンを通じたカーボンニュートラルを目指しているように、これが建設分野にも求められるようになる。東京都も環境確保条例改正の答申で、建物運用時だけでなく、その建設自体に関わる環境負荷低減にも取り組むべきであるとしている。

温暖化対策へ積極的に提言を行っているWBCSD（持続可能な開発のための世界経済人会議）は、運用時のエネルギーや水の消費に関係する二酸化炭素（CO_2）排出を「オペレーショナルカーボン」と呼び、それ以外の建材の製造、建設、使用（設備交換や内装改修など）、廃棄の各段階のCO_2排出の総計を「エンボディドカーボン」と定義している。

製造段階は、さらに原材料部分とその輸送・製造部分に分類される。建設資材では、鉄やコンクリートなどの製造時にCO_2が多く排出される。鉄に関しては水素還元製鉄や、再生エネルギーを利用した電炉によってスクラップから鋼材を製造することなどが考えられている。また、CO_2を吸収するコンクリートなども開発が始まっている一方で、木材の活用にも注目が集まっている。

建設段階は、建材等の輸送部分と施工部分に分けられ、建材や設備機器などを現場に輸送するトラックなどから排出されるCO_2の削減が必要になる。また、建設時の重機からのCO_2排出対策や建設現場で用いられる電気を再エネ化することも欠かせない。すでに一部の建設会社が、こうした対策を始めていることは頼もしい。

東京都は、主要構造物の建設時CO_2排出量を算定・把握・公表することや、建設現場での排出削減を評価する制度を提案している。東証プライム上場企業は、気候関連財務情報開示タスクフォース（ＴＣＦＤ）による環境情報の開示が求められるが、不動産業界では製造・建設段階の排出量が大きくなるため、その計算法の標準化や低減対策が求められている。

欧米では延床面積当たりの製造段階の排出量を規制する動きがあり、ＷＢＣＳＤはオフィスのベースラインを五〇〇kgCO_2／㎡としている。しかしこれを、現状の日本のオフィスで試算すると倍近くになってしまう。これには、地震災害国の日本は構造材が太いという理由も大きく作用している。今後、国際的な標準化が進む可能性もあるが、日本の建築物が不当に評価されることのないよう、地震国の実情を積極的に発信していく必要がある。

（田辺新一）

6　脱炭素と安定供給を経済的に実現する市場の設計

新規参入者の活躍が期待される変動性再エネ電源投資

筆者が資源エネルギー庁の電力調査統計を集計したところ、太陽光や陸上風力といった変動性再生エネルギーへの電源投資に熱心なのは、旧一般電気事業者（旧一電）のような既存事業

[図8-1] 再エネ電源への投資状況

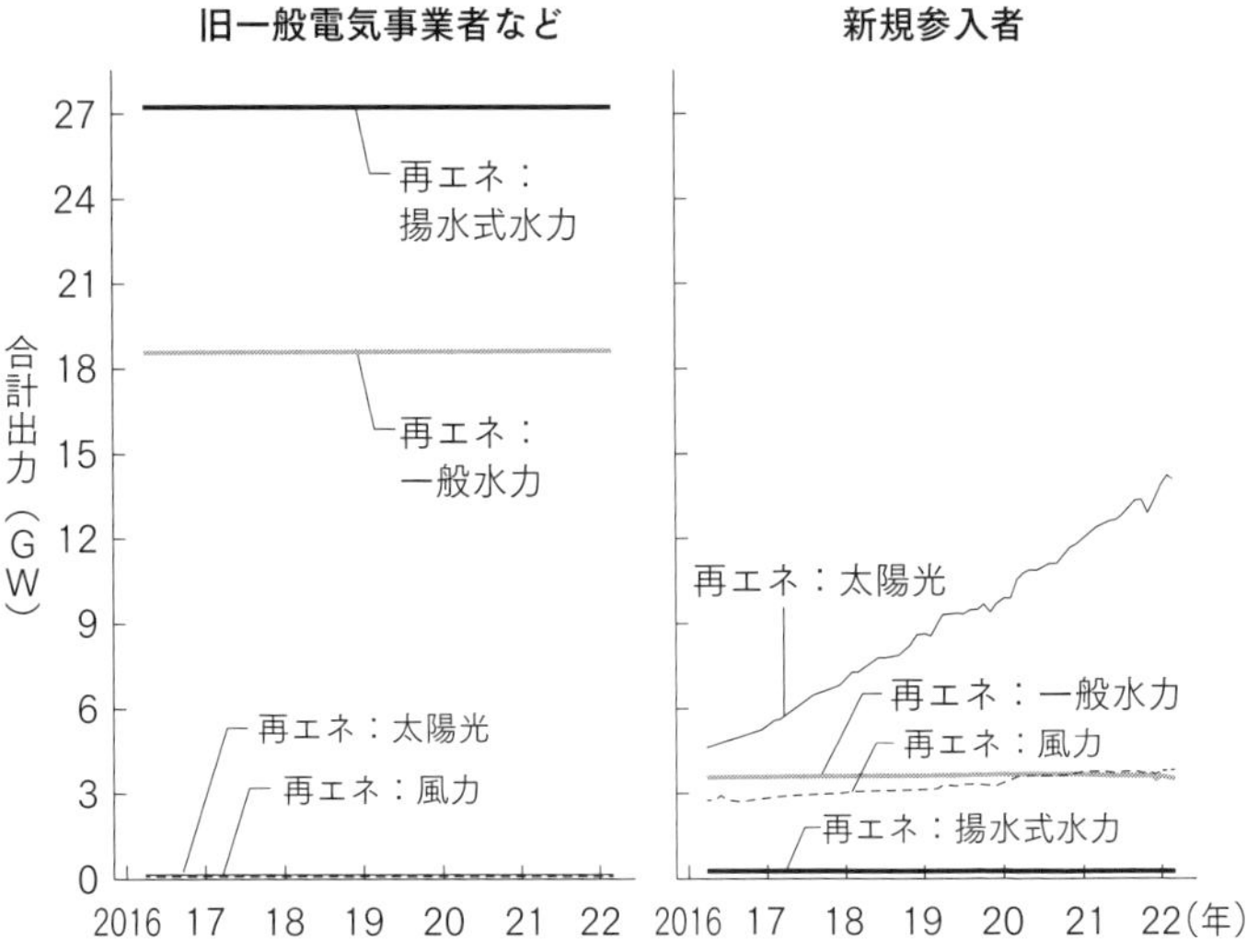

(注)電力調査統計1-(1)を集計
(出所)筆者作成

者ではなく、新規参入者（発電専業の事業者、新電力、自治体など）であることがわかった（**図8-1**）。旧一電系が変動性再エネ電源投資に消極的な要因についてはいくつか考えられるが、変動性再エネの導入が既存電源の発電量を置換してしまう「共喰い」という状況に直面していることが主だと考えられる（伊神、2018）。既存事業者が新規参入者よりも変動性再エネへの投資に消極的であるという状況は、米国やドイツでも見られる(Brunekreeft et al., 2016、Hitaj, 2013)。したがって変動性再エネの電源投資の担い手には、今後も新規参入者の活躍が期待されるのである。

しかし近年、新規参入者のうち、小売事業に参入した新電力の苦境が報じられている。年間数件しかなかった新電力の倒産件数が、二〇二一年度には一四件にまで増加した。同様の傾向は二二年度も続き、一一月二八日時点で電力販売事業から「撤退」した事業者は累計で三三社にいたり、「倒産・廃業」した事業者は累計で二二社に上っている（帝国データバンク、2022）。

その原因は、二一年一二月下旬以降に日本全国で発生した電力の需給逼迫に加え、化石燃料の価格高騰による前日市場での調達費用の増加が大きい。

新電力は自ら再生エネルギー発電への投資を行い、再エネ発電事業者から積極的に再エネ電気を調達しているところも多く、このようなトレンドが続けば、再生エネルギーの導入ペースは低下する可能性もある。

発電・小売部門で既存事業者と新規参入者が公正な競争を行うことを目指して、発送電分離（法的分離）や小売全面自由化がなされた。しかし、未だ公正な競争が実現できているとは言い難い現状にある。

現在、日本全体の八割以上の電源を所有しているのは、既存の旧一電系事業者である（電力・ガス取引監視等委員会、2018）。新規参入者が再エネに投資する一方、火力・原子力・大規模水力といった従来電源は既存事業者が所有するという構図は変わらないため、前日市場の市場価格が高騰すると、前日市場での調達依存度の高い新電力の事業者に大きな悪影響が出ている。

二二年一二月には、関電、中部電力、中国電力、九州電力の旧一電系事業者による小売カルテルの存在が明らかになった。さらに二三年一月には、複数の旧一電が送配電事業者を経由して新電力の顧客情報を不正に閲覧し、新電力から顧客を取り戻すための小売の営業活動に利用していたことが報じられた。今後は、さらに発送電分離を強化するなどして、送配電部門の独立性を高める必要がある。

今後の日本の電力市場の設計について

経済学者は当初、発電・小売部門に競争を導入すれば、市場の価格メカニズムを通じて事業者が自由に電源投資を行い、その結果、安定供給は実現するはずだ、と考えていた。市場で確保する容量を政府が計画的に決定しながら、小売事業者には供給力確保義務を課すというやり方は、自由化をしておきながら実は自由化を否定している、と指摘されることもあった。

しかし近年では、カーボンニュートラルと安定供給の実現という目的を達成するためには、電力市場は従来のエネルギー市場（＋需給調整市場）と、計画的な側面が強い容量市場を併せ持つハイブリッドな形態に不可避的に発展していくのではないかと予測されている（Roques and Finon, 2017)。

この形態では、エネルギー市場に参加する前段階として、まず固定費用の大きな電源投資を支援するために、長期契約の対象となる電源を決めるオークションが行われ、次にエネルギー市場のなかで、どの電源がどれだけ発電するかを決める競争が行われる、といった二段階の競争を経ることになる。

したがって、こうした市場での競争と規制的なアプローチを併用するハイブリッドな制度設計は、両者の強みを生かして、カーボンニュートラルと安定供給を経済的に実現するための解決策ととらえることができるのである（Keppler et al., 2022)。

（杉本康太）

引用文献

伊神満（２０１８）『「イノベーターのジレンマ」の経済学的解明』日経ＢＰ

帝国データバンク（２０２２）「『新電力会社』事業撤退動向調査（11月）」
https://www.tdb.co.jp/report/watching/press/p221202.html

電力・ガス取引監視等委員会（２０１８）「競争的な電力・ガス市場研究会 中間論点整理」
https://www.emsc.meti.go.jp/activity/emsc_studygroup/pdf/180809_report.pdf

Brunekreeft, G., Buchmann, M., Meyer, R. (2016) The Rise of Third Parties and the Fall of Incumbents Driven by Large-Scale Integration of Renewable Energies: The Case of Germany. Energy J. 37. https://doi.org/10.5547/01956574.37.SI2.gbru

Hitaj, C. (2013) Wind power development in the United States. J. Environ. Econ. Manage. 65, 394–410. https://doi.org/10.1016/j.jeem.2012.10.003
Keppler, J. H., Quemin, S., Saguan, M. (2022) Why the sustainable provision of low-carbon electricity needs hybrid markets. Energy Policy 171, 113273. https://doi.org/10.1016/j.enpol.2022.113273
Roques, F., Finon, D. (2017) Adapting electricity markets to decarbonisation and security of supply objectives: Toward a hybrid regime? Energy Policy 105, 584–596. https://doi.org/10.1016/j.enpol.2017.02.035

7 気候変動開示とスコープ3

産業別サプライチェーンの上流と下流の取り組み

気候変動開示は目的化してしまい、チェックボックス的になりがちである。スコープ3（自社を含むサプライチェーン上の事業者や製品・サービスの使用者が、間接的に排出する温室効果ガス量）もその一つである。

事業者は、まずは事業活動に関係している調達先、あるいはつくった製品を使うクライアント先や消費者が、どのような気候変動のリスクを被るかを念頭に置くべきである。つまり、開示に向けたプロセスが重要であるということだ。

開示は将来の事業活動に関わるリスクを特定していく作業であり、開示した後はそのリスクを低減するための実際の作業に入るべきである。実際に作業をすると、オペレーションリスクの存在にも気づくことができ、調達先や調達する地域を変えるなどの計画を立てることも可能となる。

スコープ3は、事業が属する産業によって、そのリスクの種類も大きさも異なってくる。そのため、産業ごとに上流である調達先と、そして下流であるクライアント先や消費者に分けて整理する必要がある。

日本企業で、スコープ3のサプライチェーン上流の排出量割合がスコープ1（事業者自身が直接排出する温室効果ガスの量）とスコープ2（事業のために使う電気、ガス、熱などのエネルギーからの排出量）に比べて多いのは、食品に代表される生活必需品産業であり、以下不動産、電気通信、情報技術と続く。スコープ3の下流のほうが多い産業は、エネルギー関連と金融である。

そして川上、川下ともに五分五分という結果になったのが、自動車に代表される一般消費財・サービス産業であって、これらの産業は、すべてのバリューチェーンに対して排出量や気候変動リスクを把握する必要が出てくる。

上流に排出量の多い食品および食品小売業を例に取ろう。まず、気候変動がもたらす災害や気温上昇による影響を最も大きく受ける農業である。農業という事業自体、土地利用による排出や農作業機器用のディーゼル燃焼からの排出、牛などの家畜によるメタンの排出、肥料からの排出などがある。肥料の原料はアンモニアだが、アンモニア製造は現在の総排出量の二%を占めるほど排出の多い産業である。また農業同様に調達アイテムが多い産業が食品小売りであり、調達のための配送にも多くの排出がある。

したがって、これらのサプライチェーン全体に排出量削減の活動を呼びかけ、エンゲージしていく必要がある。ちなみに企業に脱炭素を要求する投資家主体の国際団体「クライメイト・アクション（Climate Action）一〇〇プラス」では、食品セクターでのスコープ3の削減アクションとして、まずは購入した商品やサービス、および土地利用からの排出を優先的に管理し、削減していくべきだと提唱している。

下流からの排出が多い産業については、第7章で取り上げている金融はここでは省略するとして、エネルギー関連産業である。これには、石油やガス、石炭などの採掘業者や石油精製・販売業者が該当する。特に石油はさまざまな業種で使用されているが、最も多いのは交通部門であり、燃料のガソリンに代表される。

自動車が電化するにしたがって石油需要も減るため、消費者動向や各国の政策動向を把握することが非常に重要である。それとともに、バイオ燃料など脱炭素に向けた代替商品の開発・販売をしていくことや、自らEV向け充電ビジネスに参入するなど、スコープ3を把握することで新しいビジネスにつながる例もある。

一方、石油精製品であるプラスチックでは、今後も需要が減る見込みが少ないため、新しいバイオプラスチックなども必要となるが、いかに新規の原材料を減らしてリサイクル材を増やしていくか、が大きなポイントとなる。サーキュラーエコノミーを取り入れた、スコープ3の削減計画が欠かせない。

自動車産業の取り組みとスコープ3削減に向けた行動を

最後に、上流も下流も多い自動車産業である。自動車は内燃機関車やハイブリッド車の場合は部品も多く、調達先も非常に多くに上る。最も多く使われている材料としては、鉄やアルミ、プラスチックやゴムなどが挙げられる。また下流の製品使用時ではガソリンの使用による排出量が課題となり、ガソリン車やハイブリッド車ではスコープ3をゼロにすることは不可能である。

米国の自動車会社GMでは、スコープ3を削減する取り組みとして、上流では「GM ESG

パートナーシップ制約（Partnership Pledge）」を立ち上げ、調達先の環境データを把握するなど削減に向けた活動をともにし、各部品からの排出量の詳細把握と排出源の特定も行っている。

それによると、部品別ではパワートレインが三五％、ボディが二八％、インテリアが二六％という排出比率になっており、排出源としては電気の使用による排出が二二％と最も多かった。

下流の活動としては、ＥＶの製造と販売を、それぞれ二〇二五年までに北米と中国で一〇〇万台、さらには二〇三〇年までに米国での販売実績の四〇％から五〇％を占めるという目標を掲げている。

ここで、原材料からのスコープ3排出量が大幅に削減する可能性がある試みとして、ファースト・ムーバーズ・コアリション（First Movers Coalition）を紹介したい。七一に及ぶ企業がメンバーの中心であり（二三年一月現在）、削減が困難な六セクターで必要な脱炭素技術やグリーン商品を導入することに挑戦している。

例えば、フォードはアルミニウムと鉄鋼の二つのセクターのメンバーである。鉄鋼では、二〇三〇年までに購入する鉄鋼の最低一〇％は、ゼロエミッションに近い製品にすることに取り組んでいる。つまり、イノベーションを推進するとともに、グリーン商品の需要を保証しているのである。メンバーはファースト・ムーバーズ・アドバンテージ（先行者利益）を得ることができ、併せてスコープ3上流からの排出量を削減できると思われる。

この取り組みは、ジョン・ケリー気候問題担当大統領特使と世界経済フォーラムが二一年の一一月に立ち上げたものだが、今はロンドンに拠点を置くシンクタンクやNGOがセクター活動を支えているようだ。現在、日本からの参加企業は商船三井のみである。

以上見てきたように、日本はまず、排出量の把握や気候変動リスクの特定を、自社のバリューチェーンの上流と下流に対して行うべきである。その結果によって、潜在リスクの大きさを特定し、経営に及ぼすリスクの大きさ順に優先順位をつけることから始めるべきと考える。調達先の変更や、新しいグリーン商品の購入などは経営判断が必要な事項であるため、経営者を交えた議論を進め、行動に移さなければならない。

紹介した企業に外国の例が多かったが、日本企業が開示するだけにとどまらず、スコープ3削減に向けたアクションをサプライヤーとともに取ることを願い、そして逆にサプライヤーとしてビジネスを行う企業も多いことを鑑みると、政府も、サーキュラーエコノミーの推進、または脱炭素に向けた革新的なグリーン商品の需要を保証するような政策を打ち出すことが必要ではないか、と考える。

（黒﨑美穂）

参考文献

GPIF, GPIF_ESGReport_FY2021_J_01.pdf

Climate Action 100+, https://www.climateaction100.org/wp-content/uploads/2021/08/Global-Sector-Strategies-Food-and-Beverage-Ceres-PRI-August-2021.pdf

IEA, https://www.iea.org/sankey/

GM, https://www.gmsustainability.com/priorities/reducing-carbon-emissions/journey-to-zero-emissions.html

——, https://www.gmsustainability.com/priorities/supporting-supplier-responsibility/supply-chain-sustainability.html

First Movers Coalition, https://www3.weforum.org/docs/WEF_FMC_Steel_2022.pdf

——, https://www3.weforum.org/docs/WEF_First_Movers_Coalition_Aluminium_Commitment_2022.pdf

まとめ――異次元エネルギーショックの先にあるもの

「はじめに」（平沼光執筆）で記したように、本書の目的は、「異次元エネルギーショックに対応するには何が必要となるか」を解明することにあった。我々が本書で「異次元エネルギーショック」という言葉を使ったのは、ウクライナ危機を経て、「今日我々が直面しているエネルギーショックは、気候変動問題への対応、コロナ禍からの復興、地政学的なエネルギー安全保障への対応、そして、企業の脱炭素経営の必要性など、さまざまな要素が複雑に絡み合い、これまでにない異次元のエネルギーショックとなっている」と考えたからである。

このような目的に照らして、本書の各章は、何を明らかにしたのだろうか。

第1章「ウクライナ危機の最大の教訓――エネルギー自給率の向上」（橘川武郎執筆）は、「ロシアのウクライナ侵略がもたらしたエネルギー危機を受けて化石燃料の重要性が再認識されたから脱炭素の流れに歯止めがかかるという見方があるが、根本的に間違っている」とし、「日本の場合、エネルギー危機の根本的な原因がその自給率の低さにあるので、本質的な解決策は国産エネルギーを積極的に活用することに求めることになる。国産エネルギーの代表格は、風力、太陽光・熱、水力、地熱などの再生可能エネルギーである。エネルギー危機を真の意味で解決するには、国産の再生可能エネルギーが主力となる脱炭素社会をできるだけ早く実現しなければならない」と結論づけた。そして、カーボンニュートラルを実現するためには、石炭火力燃料のアンモニア転換など、既存インフラの活用がきわめて重要であると説いた。

第2章「再生可能エネルギー政策の三つの注目点」（高村ゆかり執筆）は、最近の動向として、以下の諸点を強調した。それは、

①「二〇五〇年カーボンニュートラル」という将来の絵姿からバックキャスティングをする、第6次エネルギー基本計画が採用したアプローチの新しさ

②ゲームチェンジャーとして〝洋上風力発電〟を大規模導入することの、政策上での明確化

③気候変動対策や脱炭素化の推進のために、再エネ拡大や省エネ推進のさまざまな施策が織り込まれる、政策のセクターカップリングの進展

の三点である。そのうえで第2章は、気候変動対策と再エネ拡充を遂行するうえでは、〝地域〟と〝需要家〟がカギを握る、と力説した。

第3章「エネルギー高騰時代のクリーンエネルギー技術を見極めよ」（瀬川浩司執筆）は、技術面に光を当てた分析を行い、「日本の場合は電力を中心としたエネルギー安定供給体制の再構築が急務で、これらに資する技術を強化する必要がある。広域電力系統連系の強化により調

整機能が拡大すれば再生可能エネルギー電力の変動緩和も吸収でき、再生可能エネルギー電力のさらなる導入拡大が可能になる」とした。また、「ダイナミックプライシング、蓄電池導入拡大、電力と水素の相互運用などが進めば、化石資源の輸入に頼らない安定したエネルギー需給体制が構築できる。その先には、安価なグリーン電力とグリーン水素を基盤とする輸送用燃料の脱炭素化も見えてくる。二〇三〇年までに、エネルギー需給システムの最適化に関連する技術はますます重要性を高めるだろう」とも述べた。さらに第3章は、輸送用エネルギーの脱炭素化にも言及した。

第4章「エネルギーとのセクターカップリングでEV普及を」（平沼執筆）は、ウクライナ危機によってモビリティーの電動化の必要性が高まっているとしたうえで、日本でのEV（電気自動車）普及の取り組みが、国際的に見て大きく立ち遅れていると警告を発した。そして、EV普及の遅れを取り戻すためには、「単なる移動手段のための車という従来の認識ではなく、運輸部門とエネルギー部門をつなぐセクターカップリングの視点を持つことが重要だ」と強調し、EVをV2G（Vehicle-to-Grid）で電力系統に統合するための法制度の整備、EVユーザーと系統運用者のインセンティブ創出などに取り組みながら普及を進めることが必要だ」と指摘した。「EV普及とV2Gの社会実装により再エネの普及が進めば、再エネ電力で水を電気分解して製造するグリーン水素の普及にもつながり、水素を燃料にするFCV（燃料電池車）

の普及にも貢献するだろう」というのが、第4章の見立てである。

第5章「生き残りのカギは『徹底した省エネ』」（田辺新一執筆）は、ウクライナ危機への対応はエネルギー自給率の観点から考えるべきだとし、日本ではとくに、供給側のエネルギー転換だけでは済まない、需要構造の大転換が必要だと論じた。この章の特徴は、供給サイドからのアプローチにとどまらず、需要サイドからのアプローチを重視した点にある。そのことは、第5章が、消費の視点から日本における温室効果ガス排出の実態を分析し、排出割合の大きい住宅、運輸部門での対策が必須であると指摘した点に、端的に示されている。これらの検討を踏まえて第5章は、「再エネ普及と双璧となる〝徹底した省エネ〟」を推進することが肝要だと結論づけ、なかでも住宅・建築分野で対策を講じることが大切だと説いた。住宅・建築分野での対策は、新築物件についてだけでなく、既築物件についてもなされなければならない。

第6章「日本の電力市場の設計――これまでとこれから」（杉本康太執筆）は、日本の電力市場の概要を説明したのち、日本の電力需給市場における最近の成果と課題を明らかにした。成果として挙げたのは、エリア間のインバランスを合算して不足分と余剰分を相殺するインバランス・ネッティングが導入されたこと、調整力を全国規模で安い順に発動する「調整力の広域（メリットオーダー）運用」が行われるようになったこと、デマンド・レスポンスの調整力公募への参加が進み需給調整費用の低下に貢献していること、などである。一方、第6章は課題として、①調達期間が年間方式を取っているため硬直的であること、②容量市場が所期の目的を果たしていないこと、などを指摘した。このうち①に対しては週間方式への移行が、②に対しては「長期脱炭素電源オークション」の新設が、それぞれ予定されている。

第7章「エネルギーショックに対峙する投資家の視点」（黒﨑美穂執筆）は、エネルギー転換を促進する動きと抑制する動きとが交錯する状況下において日本は、中長期的にエネルギー転換を推進する投資家・金融界の視点に立って、エネルギー政策を展開すべきだと説いた。具体的には、二〇二一年に英国・グラスゴーで開かれたＣＯＰ26（第二六回国連気候変動枠組み条約締約国会議）を機に発足した「グラスゴー金融同盟（ＧＦＡＮＺ：Glasgow Financial Alliance for Net Zero）」の活動や、日本国内での機関投資家によるエネルギー転換促進の株主提案の活発化などをあとづけたのち、「グリーンウォッシュは市場最大の脅威」として、「正確な気候変動の情報を市場が提供する必要性」を力説した。そして、世界的には温室効果ガス削減技術の社会実装に使われているトランジションファイナンスが、日本では必ずしも削減技術に使われていない実態を明らかにした。

最後に第8章「メッセージ 日本の生き残る道」では、本書の執筆者たちが、改めて「異次元エネルギーショックに対応するには何が必要となるか」という観点から、それぞれのメッセージを発した。各メッセージのタイトルを再掲すれば、「政府の無作為を超えて――エネルギー政策を再生させる道」（橘川）、「カーボンプライシング＝炭素排出に価格をつける」（高村）、「二〇五〇年に向けたクリーンエネルギー技術の見極め」（瀬川）、「脱炭素地域づくりのインフラとして欠かせないＥＶ」（平沼）、「脱酸素社会に向けた住宅・建築物の省エネ対策」（田辺）、「脱炭素と安定供給を経済的に実現する市場の設計」（杉本）、「気候変動開示とスコープ３」（黒崎）となる。必要な対応策を取るうえでの要諦が多面的に指摘されていて興味深い。

「はじめに」にあるように、本書は「さまざまな視点からメンバー各人の見解を執筆」したものであり、執筆者間で部分的な見解の齟齬が存在することは否定しない。しかし、大枠において、我々の見解は一致している。それは、異次元のエネルギーショックに対しては、再生可能エネルギー普及の加速と「徹底した省エネ」で臨むべきであり、そのためには、技術面では安定したエネルギー需給体制の構築やＥＶの本格的な普及、市場面では電力需給調整のさらなる改革や正確な気候変動情報の発信が必要であり、それらを促進する政策をバックキャストの観点に立って総動員することが大切だということである。

日本と世界の未来は、異次元エネルギーショックへの対応が的確であるか否かにかかっている。本書の執筆を終えた我々は、未来を切り拓くために奮闘する所存である。

橘川　武郎

【執筆者紹介（執筆順）】

高村ゆかり（タカムラ・ユカリ、第2章、第8章担当）

東京大学未来ビジョン研究センター教授

京都大学法学部卒業。一橋大学大学院法学研究科博士課程単位修得退学。龍谷大学教授、名古屋大学大学院教授、東京大学サステイナビリティ学連携研究機構（IR3S）教授などを経て、2019年4月より現職。2020年10月より日本学術会議第25期副会長（国際担当）。総合資源エネルギー調査会基本政策分科会委員。

瀬川浩司（セガワ・ヒロシ、第3章、第8章担当）

東京大学教授（総合文化研究科広域科学専攻長／教養学部附属教養教育高度化機構環境エネルギー科学特別部門長）

1989年京都大学院卒。工学博士。京都大学助手、東京大学助教授を経て2006年東京大学先端科学技術研究センター教授。大学院総合文化研究科および工学系研究科も担当。2009年FIRST中心研究者、2012年より有機系太陽電池技術研究組合理事、専門は物理化学と次世代太陽光発電。

田辺新一（タナベ・シンイチ、第5章、第8章担当）

早稲田大学創造理工学部建築学科教授

1982年早稲田大学理工学部建築学科卒業。同大学大学院修了、工学博士。デンマーク工科大学、カリフォルニア大学バークレー校、お茶の水女子大学助教授を経て早稲田大学理工学部建築学科助教授。2001年から同大学教授。同大スマート社会技術融合研究機構機構長、前日本建築学会会長、日本学術会議会員、総合資源エネルギー調査会基本政策分科会委員、省エネルギー小委員会委員長。

杉本康太（スギモト・コウタ、第6章、第8章担当）

横浜国立大学国際社会科学研究院講師

2020年4月より23年3月まで東京財団政策研究所博士研究員。2020年3月京都大学経済学研究科博士課程修了、併せて京都大学グローバル生存学大学院連携プログラム修了。2015年3月慶應義塾大学商学部修了。

黒﨑美穂（クロサキ・ミホ、第7章、第8章担当）

気候変動・ESGアナリスト

2007年より気候変動、エネルギー業界に従事し、企業、投資家、政府にデータや分析に基づいた調査やアドバイスを提供。2021年までブルームバーグのリサーチ部門BNEFにてエネルギー政策や経済性の調査分析業務を統括。有識者として数多くの政府委員を歴任。慶應義塾大学経済学部卒。Imperial College London 環境 ビジネス修士号取得。現職はEnergy Impact Partnersのヴァイスプレジデント。

【編著者紹介】

橘川武郎（キッカワ・タケオ、第1章、第8章、まとめ担当）

国際大学副学長・国際経営学研究科教授

1951年和歌山県生まれ。東京大学経済学部卒業。東京大学経済学研究科博士課程単位取得退学。経済学博士。

青山学院大学経営学部助教授、東京大学社会科学研究所教授、一橋大学大学院商学研究科教授、東京理科大学大学院イノベーション研究科教授を経て、2020年より現職（副学長は2021年）。東京大学・一橋大学名誉教授。元経営史学会会長、元総合資源エネルギー調査会基本政策分科会委員。

平沼光（ヒラヌマ・ヒカル、はじめに、第4章、第8章担当）

公益財団法人東京財団政策研究所主席研究員

早稲田大学大学院社会科学研究科博士後期課程修了、博士（社会科学）。日産自動車株式会社勤務を経て、2000年より東京財団勤務。内閣府 日本学術会議 東日本大震災復興支援委員会 エネルギー供給問題検討分科会委員、福島県再生可能エネルギー導入推進連絡会系統連系専門部会委員等を歴任。

異次元エネルギーショック

2023年6月14日　　1版1刷

編著者　橘川武郎・平沼光

発行者　國分正哉

発　行　株式会社日経BP
日本経済新聞出版

発　売　株式会社日経BPマーケティング
〒105-8308　東京都港区虎ノ門4-3-12

ブックデザイン　竹内雄二

DTP　マーリンクレイン

印刷・製本　シナノ印刷

ISBN978-4-296-11654-6